JN153968

花森小学校
ある冬の昼休み
ねえ 真実くん
学校の七不思議に
新しいうわさが
出てきたらしいよ
理科準備室の
人体模型くん
内臓パーツが
1つなくなって
ときどき泣いて
いるんだって
なるほど
ぼくの内臓が
ないぞうー
ということか
謎野真実
IQ200の天才少年探偵。
「科学で解けないナゾはない」が信条。
6年2組。
宮下健太
怖がりだけど、不思議なことが大好き。
勉強もスポーツも中ぐらいのミスター
平均点。昆虫には詳しい。6年2組。
真実くん
マジメに
聞いてる?
おやじ
ギャグ!?
ごめん
ごめん
健太くん
まあ それは
現場を見ないと
なんとも言えないな

健太くん真実くんいる？
美希ちゃん？
事件よ！
今すぐ理科室に来て
青井美希
花森小学校新聞部部長でジャーナリスト志望。
宮下健太の幼なじみ。6年1組。
理科室
ざわ
ざわ
ひーあー
本当に人体模型が泣いてるー

何よ その声
情けないわよ
健太くん
美希ちゃんも
もっと近くで
見ればいいのに
わ わたしは
ここから
ホームページ用の
写真を撮るのよ
これ いつもは
理科準備室に
あるはずだよね？
午後の授業で
使うので
大前先生が
昼前に運んで
くれたんです
杉田ハジメ
6年2組の学級委員長。
あだ名は「マジメスギ」。
そう
…おっと
眼鏡が
くもって
真っ白だ
ははは
ワタシもさっき
なりましたよ
眼鏡仲間
あるあるですね

この教室 大きな
加湿器がついて
いますからね
シュー…
コポ コポ
なるほど
スチーム式
フルパワーか
きゅ きゅ
――よし
――健太くん
入ってきて
よく見てごらん
この謎は
きみにもすぐ
解けるよ
えっ ぼく!?
廊下は
寒いだろう
早く
うう…

あれっ
涙だけじゃ なくて 全体的に ぬれてるんだ
表面がすごく 冷たいから…
——あ…
知ってる！ これは 結露だ！
正解

寒い準備室から運ばれてきたから
まわりの空気中の水蒸気が冷やされて液体の水に戻ったんだ
そしてガラスの目についた水滴が
涙のようにたまって落ちたのさ
なあんだそういうことか
やっぱり科学で解けないナゾはないね!!
みんなまず落ちついて観察だよ!
も～～ いいんだから 調子
よし!
すご…
人体模型の涙の謎
謎野真実ホームページの怪奇事件ファイルに追加完了
美希ちゃんすっかりマネージャーだね

科学探偵
怪奇事件ファイル
科学探偵 謎野真実シリーズ
廃病院に舞う霊魂

もくじ

怪奇事件ファイル 1

霊の声が聞こえる公園

ある日の夕方。小学生の女の子がおつかいからの帰りに公園を通っていると、急に雨が降ってきた。

「もう〜、傘持ってきてないのに」

女の子は池のそばにある太陽の形をしたモニュメントで雨宿りをすることにした。モニュメントは中央がくぼんでいて、中に入れば雨がよけられるのだ。

しかし、女の子はふと、最近うわさされている怖い話を思い出した。

「確か、この公園って、『幽霊の声』が聞こえてくるのよね……」

すると突然、耳元で女のささやく声が聞こえた。

「コッチヘオイデ……」

女の子はビクッとしてあたりを見回す。池の向こうから犬の鳴き声は聞こえるが、周囲に人の気配はない。

「え、誰もいないよね？」

そのとき、ふたたび女の声がした。

「早ク、コッチヘ……コロ…シテアゲル……」

「きゃあああ‼」

女の子はあわててその場から逃げ出した。

翌日。花森小学校の6年2組の教室では、宮下健太が興奮しながら謎野真実に話しかけていた。

「真実くん、たいへんなんだ。昨日、部屋で怪奇現象の本を読んでたら、パキッパキッってラップ音が聞こえてきたんだ！」

ラップ音とは、霊が起こすとされる謎の物音のことである。怖がりの健太はおびえるが、真実は小さく首を横に振った。

「それはただの木の呼吸だよ。健太くんの家は木造だったよね。その木材が湿気を吸いこんだり放出したりするときに、伸び縮みして音が鳴ったんだ」

「えっ、そうなの？」

「ふだんは気にならないけど、怪奇現象の本を読んでいたから気になったんだろうね。不思議な現象にも必ず理由がある。それは科学で説明できるはずだよ」

FILE 0001

「なるほど、さすが真実くん！」

真実はIQ200の頭脳と科学の知識を武器に、これまで数々の難事件を解決してきた名探偵である。そして健太の自慢の親友でもあった。

そこへ、健太の幼なじみで、となりのクラスの青井美希がかけこんできた。

「大事件よ！　うちのクラスの三上さんが、公園で幽霊の声を聞いたの！」


放課後、真実と健太は公園のモニュメントの前までやってきた。美希から三上さんが幽霊の声を聞いた話を聞き、調べてみたくなったのだ。

「このモニュメントに入っているとき、三上さんは『コッチヘオイデ……』とか『コロ…シテアゲル……』っていう女の人の声を聞いたんだよね？」

モニュメントは昨年、花森町ができて50周年をむかえるのを記念して、つくられたものだった。太陽を表しているようで、料理のときに使うボウルを横に倒したように、奥に向かってくぼんでいて、中に人が1人入れるぐらいの大きさがあった。

「幽霊の声なんて非科学的だと思うけどね」

「だけど、三上さんはうそをつくような子じゃないって美希ちゃんが言ってたよ」

「じゃあ、さっそく調べてみよう。健太くん、モニュメントの中に入ってみてくれるかな？」

「え、ぼくが？　ええっと、夜宿題をするのに体力を残しておかないと……」

「モニュメントの中に入るのに体力は使わないと思うけど」

健太は不思議なことや怪奇現象などの話は好きだが、怖がりなので、実際にそういうことを体験するのは苦手だ。だが、真実の力にはなりたい。

「ええっと、あの、その……。わかった。がんばって入ってみるね……」

健太はおそるおそるモニュメントの中に入った。

幽霊の声が聞こえるかもしれないと思うと、健太の全身がこわばる。しかし、耳をすましても、声はまったく聞こえなかった。

「何も聞こえないよ？」

健太はモニュメントから出ると、真実にそう報告した。

しかし、真実はモニュメントを見つめ、何かを考えているようだった。

「真実くーん！　健太くーん！」

そこへ、遅れて美希がやってきた。

「これが例のモニュメントね！」

美希は首から下げていたカメラで、モニュメントの写真を撮りだした。美希は新聞部の部長で、好奇心旺盛な性格だ。

「美希ちゃん、写真を撮るのはやめたほうがいいよ。呪われちゃうかも」

「何言ってるの、健太くん。大スクープになるかもしれないでしょ。記事のタイトルはもう決めてあるの。『墓地の呪い？　幽霊のささやく声！』よ！」

「どういうこと？」

「さっき、公園の近くを歩いていた人から話を聞いたの。ここはね、昔、墓地だったらしいわ」

「えっ？　墓地……」

健太はおびえた目で公園を見回した。

「もしかして、『コッチヘオイデ』っていうのは、幽霊が土の中から誘っていたのかも」

健太はますます怖くなった。

「とにかく、ほかにも幽霊の声を聞いた人がいるかどうか調べてみよう」

真実はそう言うと、歩きだした。

「あの、すいません。この公園で幽霊の声を聞いたことがありますか？」

夕方の公園には数多くの人たちがいた。真実たちは次々に声をかけていく。

「幽霊の声？」「そんなの知らないわねえ」「うわさがあるのは知ってるけど、聞いたことはないなあ」

なかなか聞いたという人は現れない。

「わたしは遊具のほうに行ってみるわ。真実くんたちは池の向こうをお願いね」

美希は遊具のほうへと走っていく。真実と健太は池の向こうにあるドッグランのほうへ行くことにした。

「ここはちょうど反対側だね」

健太はドッグランから池を見た。池をはさんだ向かい側に、あの太陽のモニュメント

が立っている。

「あら、健太くん」

犬を連れたおばさんがニコニコしながらやってきた。健太の家の近所に住んでいる森田さんだ。

健太は幽霊の声のことを、森田さんにも尋ねることにした。

「毎日この公園を犬のコロと散歩しているけど、そんな声、聞いたことないわねえ」

「そうですか……」

幽霊の声は、三上さんの聞き間違いだったのかもしれない。健太がそう思っていると、中学校の制服を着た男の子がそばにやってきた。

「きみたち、幽霊の声について調べているんだってね？　ぼく、それ、聞いたことがあるよ」

「えええ！　女の人の声を聞いたんですか!?」

しかし、男の子は次の瞬間、意外なことを言った。

「いや、ぼくが聞いた幽霊の声は、『男の声』だったよ」

「男の声？　詳しく教えてもらえますか？」

真実は男の子にそう言った。

「あれは、1週間ぐらい前だったかな。ベンチに座って本を読んでいたんだ。すると急に雨が降ってきたから、あのモニュメントの中で雨宿りすることにしたんだ」

男の子は、池の向こうにある太陽のモニュメントを指さした。

「そうしたら、男の人の声が耳元で、『ツカマエテヤル……』って言ったんだよ」

健太はつばをゴクリとのみこんだ。

「幽霊は1人だけじゃないってことだよね？」

そこへ、美希がやってきた。うしろには、トレーニングウェアを着た女の人がいる。

「真実くん、幽霊の声を聞いた人をついに見つけたわよ！」

どうやらうしろにいる女の人がそうらしい。

「どこで聞いたんですか？」

健太は女の人に尋ねた。

「わたしが聞いたのは、池の向こうにあるモニュメントの中よ。あたりに誰もいないのに、突然、子どもの笑い声が聞こえてきたの」

「子どもの笑い声？」

健太はキョトンとする。女に男に子ども。３人が聞いた幽霊の声はバラバラだったのだ。

「これって、墓地からいっぱい幽霊が現れたってことだよね？　やっぱりお墓に葬られた人たちが生きてる人たちを引きこもうとしてるんだ。このままじゃ呪い殺されちゃうかも。真実くん、早く逃げよう！」

健太は真実の手を引っ張ろうとしたが、真実は首を横に振った。

「何を言っているんだい。きみは真相を知りたくないのかい？」

「真相？」

真実はとまどう健太にかまわず、女の人のほうに向きなおった。

「幽霊の声を聞いたときの状況を教えてください」

「状況？　ええっと確か、ジョギングをしているときに雨が降りだして、しかたがないからモニュメントの中で休んでいたときだったわ」

「やっぱりそういうことか」

それを聞き、真実はわずかに笑みを浮かべた。そして、健太に言った。

「彼女たちが聞いたのは、幽霊の声じゃない。あのモニュメントによって起こされた現象だよ」

「真実くん、幽霊の声じゃないってどういうこと？」

「彼女たちが聞いた声、それは『パラボラ』の効果のせいだったんだよ」

「パラボラ？」

健太と美希は同時に声をもらす。

「衛星放送の受信機などに使われている皿のような形、あれがパラボラだよ。幽霊の声を聞いたという人たちは、みんな、太陽のモニュメントの中にいたときに声を聞いたと言っていたよね。それは、あのモニュメントがパラボラのように遠くの声を拾っていたせいだったんだ」

「声を拾う？」

健太は池の向こうにあるモニュメントをながめるが、ますます意味がわからない。そんな健太に、真実は話を続けた。

「パラボラの形は音を一点に集めることができるんだ。そしてあのモニュメントはまさにパラボラと同じような形をしている。つまり、声を聞いた人たちは、この中に入ったせいで、遠くの音を聞けたんだよ」

「なるほど、そういうことか。じゃあ幽霊の声じゃないってことだね」

健太はそれがわかりホッとしたが、すぐに「ちょっと待って」と言った。

「さっき、ぼくもモニュメントの中に入ったよね？　だけど声なんか聞こえなかったよ？」

勇気を出して入ったものの、誰の声も聞こえなかったのだ。

すると、真実が小さくうなずいた。

「それは、健太くんがモニュメントの中に入ったときは、『もう1つのパラボラ』がなかったからだよ。遠くの声を聞くためには、モニュメントの向かい側に、同じ高さで同じようなパラボラの形をしたものがなければいけないんだ」

真実がそう言うと、健太と美希はあたりを見回した。真実が言うように、パラボラの形をしたものはどこにもない。池をはさんでモニュメントの向かい側にあるドッグランや遊歩道には、そのようなものはまったくなかった。

首をひねる健太と美希を見て、真実はわずかに笑みを浮かべた。

「彼らが声を聞いたとき、ある『共通点』があったんだ。その共通点こそが、もう1つのまぼろしのパラボラが何なのかを示すヒントだよ」

真実は、人差し指で眼鏡をクイッと持ち上げた。

「この世に科学で解けないナゾはない。幽霊の声を聞いた人たちの証言を思い出してみよう」

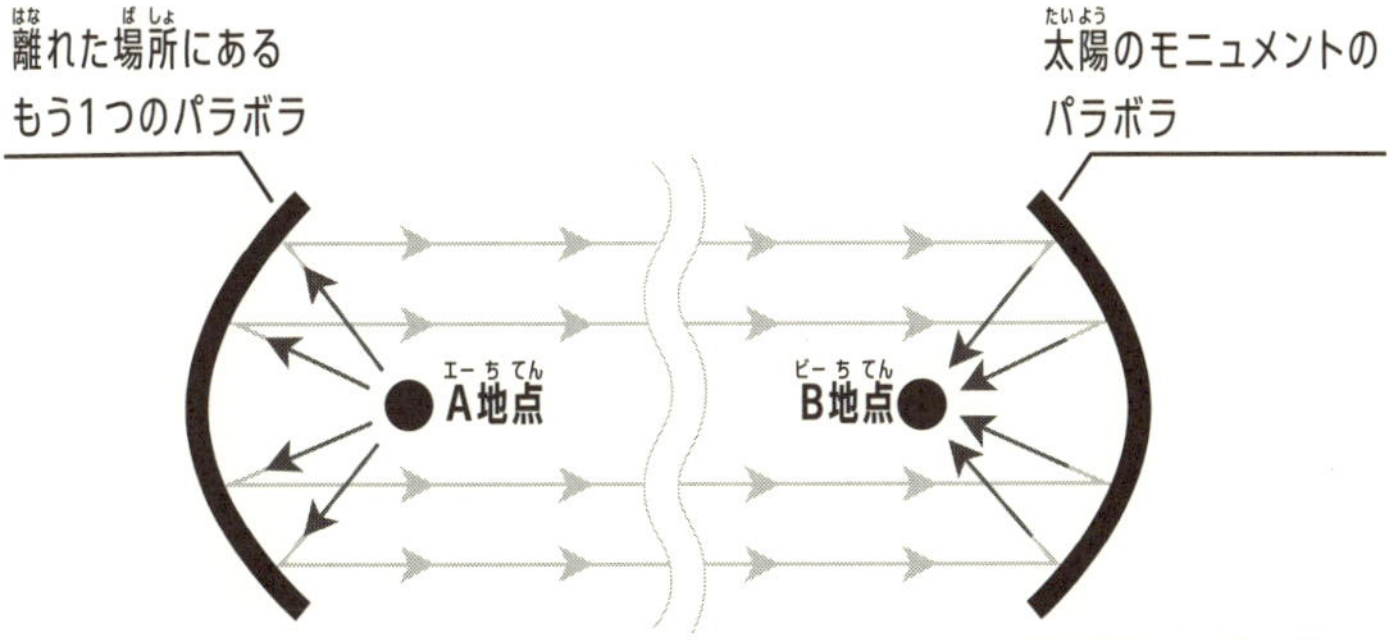

2つのパラボラが向かいあう位置にあることで、A地点で出した声がB地点で聞こえる

「健太くん、今から実験をしよう。もう一度モニュメントの中に入ってくれるかな？」

「え、あ、うん……」

健太はとまどいながらも、真相を知りたいと思い、1人、池の反対側にある太陽のモニュメントまで戻った。

「入ったら、声が聞こえるってこと、だよね……」

健太は少し怖がりながらも、勇気をふりしぼって、中に入った。

すると、どこからか声がした。

「健太くん……」

真実の声だ。

「真実くん！」

健太はまわりを見るが、真実はどこにもいない。そのとき、また声がした。

「池の向こうにいるぼくの声がそっちへ届いているんだよ」

健太はあわてて池の向こうへと走る。

真実と美希はドッグランにいた。真実はモニュメントのほうを見ている。

「真実くん、ホントに聞こえたよ。だけど、まぼろしのパラボラはどこにあるの？」

健太が尋ねると、真実は「これだよ」と言って、手にした「傘」を広げた。

「『幽霊の声』を聞いた人たちの共通点は、雨が降っていることだった。ドッグランには傘をさした人たちがいたんだよ」

「ああ、そうか。確かに傘はパラボラの形をしてるね」

「ドッグランにいる人たちは、傘をさしたまま、池の反対側にあるモニュメントと向き合うように立ってしゃべっていた。そのとき、偶然にも、傘とモニュメントが2つの向

FILE 0001

かい合うパラボラとなって、しゃべっている声がモニュメントの中にいた人の耳に届いたんだよ」

「なるほど〜。じゃあ三上さんたちが聞いた『コッチヘオイデ』とか『ツカマエテヤル』という言葉は、飼い主が犬に話しかけていた言葉だったんだね」

「そのとおり。笑い声も、ドッグランにいた子どもたちのものだったんだろうね」

それを聞き、健太は大きくうなずく。

だがそのとき、美希が口を開いた。

「だけど、『コロ…シテアゲル』っていうのは何なの？　かわいがってる犬に殺してあげるなんて言うはずないわよね？」

「『コロ…シテアゲル』というのは、おそらくあれだよ」

真実はにっこり笑って、健太のうしろを見た。

そこには、森田さんと愛犬のコロがいた。森田さんは楽しそうにコロの写真を撮っている。

「コロ、写してあげるわ！　こっちに来て！」

「森田さん、コロの写真を撮ってるんだね。……ん？　コロ？」

次の瞬間、健太はハッとした。

「森田さん、昨日の夕方、ドッグランにいましたか？」

「ええ、コロの散歩をしていたわ。急に雨が降ってきたから、持ってきていた傘をさしながら、そこでコロの写真を撮っていたわよ」

森田さんはそう言うと、池の前にある花を指さした。

「やっぱりそうか。『コロ…シテアゲル』の意味がわかったよ！」

「健太くん、何なの？」

美希が尋ねると、健太は森田さんを指さした。

「『コロ…シテアゲル』って言ったのは、森田さんだよ。ただ、森田さんが言ったのは『コロ…シテアゲル』じゃない。『コロ、写してあげる』って言ったんだ！」

森田さんは昨日、花の前にコロを座らせ、傘を広げて写真を撮っていた。そのとき、「コロ、写してあげる」と言っていたのだ。

「きっとそういうことだと思うよ。健太くんの推理もさすがだね」

真実は笑顔で言った。

「すごいわ！　幽霊の声の謎が解けたってわけね！」

美希はスクープをものにでき、大喜びした。

「そうだ、いいこと思いついた！　わたし、前に真実くんのホームページをつくったことがあったでしょ。そこで、町の人たちから解いてほしい謎とか怪奇現象を募集しましょうよ」

「ええ？　美希ちゃん、そんなの募集してどうするんだよ!?」

「決まってるでしょ。真実くんが謎を解いて、わたしが学校新聞で記事にするの。タイトルはそうねえ、『謎野真実がどんな謎でも解きますのコーナー』よ！」

盛り上がる美希を見て、怖がりの健太も少し興味がわいた。

「どんな謎でもか。青井さん、おもしろそうだね」

真実はわずかに笑みを浮かべると、眼鏡をクイッと持ち上げた。

「霊の声が聞こえる公園」終わり

不思議な形「パラボラ」

「パラボラ」は、真ん中がくぼんだ、お皿のような形をしています。パラボラには特別な性質があり、まっすぐに入ってきた光や電波が、パラボラ面で跳ね返って、一点に集まります。この点を「焦点」といいます。衛星放送などのパラボラアンテナは、この焦点の位置に受信器を置いて、電波を集めています（集める役割）。

その逆に、焦点からパラボラに向かって放たれた光や電波は、パラボラ面で跳ね返り、平行な電波となって、まっすぐに出ていきます（同じ方向に放つ役割）。

パラボラの役割

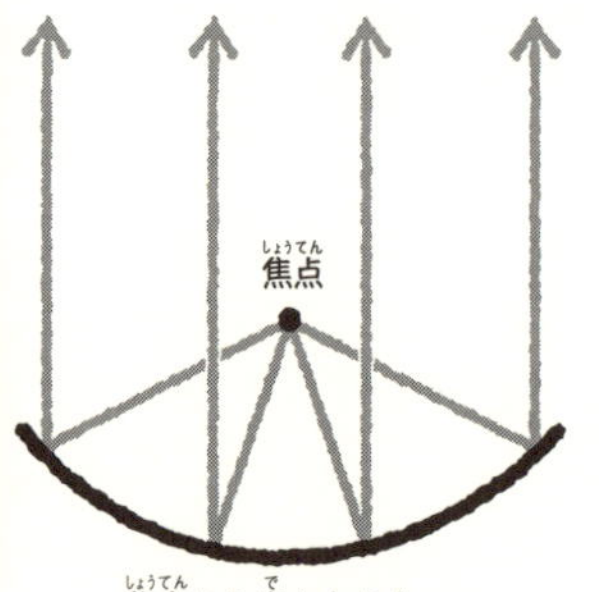

焦点から出たものを
同じ方向に放つ役割

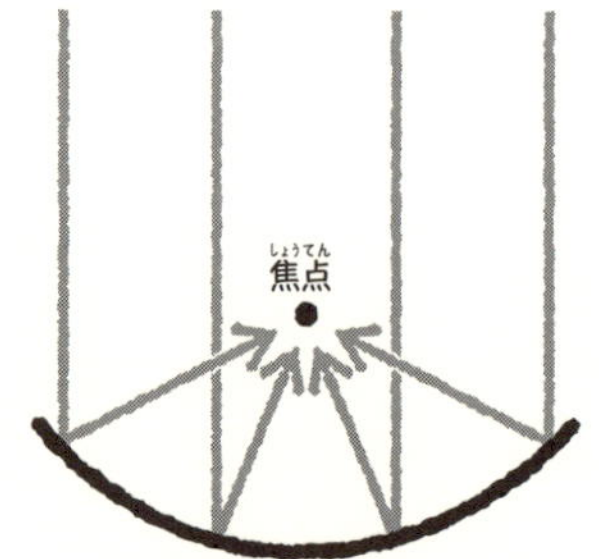

1つの方向から来たものを
焦点に集める役割

パラボラの形

ひっくりかえすと
物を投げたときに
できる形（放物線）
と同じだ！

パラボラはこんなところで活躍している！

懐中電灯の光の向きをそろえる

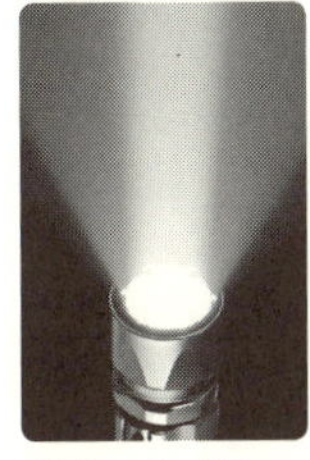

電球から出た光はパラボラ形の鏡で跳ね返って同じ方向に放たれる。

1つの方向の音だけを集める、集音マイク

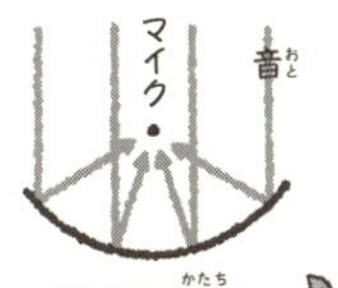

鳥の声を録音するときなどに使う。

宇宙からのかすかな電波をつかまえる

光ではなく電波で見る望遠鏡。
上の写真は長野県にある「野辺山45m電波望遠鏡」。
弱い電波をたくさん集めるために反射板を大きくしている。

月の裏側に、クレーターを利用した「宇宙最大」の電波望遠鏡をつくる計画もあるよ

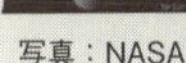

写真：NASA

怪奇事件ファイル 2

廃病院に舞う霊魂

「今配信してる、今日のこの場所、マジでヤバイっす！」

「ああ、レオ……。空気がチョー重いもんな」

深夜。真っ暗な廊下をスマホのライトで照らし、動画を撮影する2人の青年が、かん高い声をあげる。動画サイト「ＩＴｕｂｅ」で、肝試しの生配信が人気のアイチューバー、レオカンこと、レオとカンスケだ。

彼らは今、花森町のはずれの丘にある、かつて病院だった建物から生配信をおこなっていた。

2人は、割れたガラスの破片が散らばる廊下を進んでいく。歩くたびにバリッ、バリッとガラスの割れる音がする。

さびたベッドがいまだに並ぶ病室や、壊れた椅子のある診察室が、次々と画面に映し出される。

そして2人が廃病院から出てきたときだった。

「何だ、あの光!?」

次の瞬間、カメラが上を向き、いくつもの光の玉がいっせいに廃病院の屋上から天

に向かって昇っていくのをとらえた。

「まさか……死者の魂!? ヤバイ、逃げろ! 逃げろー!!」

2人は悲鳴をあげ、一目散に逃げる。ガタガタと画面が揺れ、生配信がブツリと切れて画面は真っ黒になった。

自分の部屋で生配信を見ていた宮下健太は、配信が突然切れ、とたんにポツンと1人、取り残されたような気持ちになった。

そのとき、部屋の中でミシッと音がした。健太は「ヒッ!」と声をあげ、思わず肩をすくめた。

翌日の学校。

寝不足で目の下にクマをつくった健太が、謎野真実と話をしていた。

「健太くん、怖くて寝られないぐらいなら、見なければいいじゃないか」

「怖くて見たくないけど見たいって気持ち、真実くんにはわからないかなあ。動画って見はじめちゃうと止まらないんだよー」

「ぼくなら、動画を見るよりも読書を選ぶよ。今日は、イギリスからミステリーの新刊が届くから楽しみにしているんだ」

そのとき、となりのクラスの青井美希が教室に飛びこんできた。

「真実くん、健太くん！　さっそく来た来たっ、依頼第1号!!」

興奮する美希とはうらはらに、健太は胸騒ぎを感じていた。

（初めての依頼……。いったい、どんな謎なんだろう）


放課後、健太はいったん家に帰って、待ち合わせ場所の商店街に向かった。美希がさっそく依頼人に話を聞きに行くというのだ。

商店街に着いたが、まだ2人は来ていないようだった。

精肉店、洋品店、書店、100円ショップ……店のにぎわいが気持ちをワクワクさせる。そのとき、健太の鼻がクンクンと何かのにおいに反応した。

（あっ、たこ焼きの屋台だ。……おいしそうだなあ）

屋台では、エプロンを着けたおじさんが、器用な手つきで、次々にたこ焼きをひっくり返している。熱々の湯気が上がるたこ焼きをお客さんに出すと、かつお節がゆらゆらと揺れていた。

熱心に見ている健太に、遅れてやってきた真実が声をかけた。

「待たせたね。何を見ているんだい？　健太くん」

「あっ、真実くん。なんでたこ焼きのかつお節って揺れるんだろうね」

「ああ、それは、湯気を含んだ上昇気流のせいだね。空気は暖められると軽くなって、上に昇っていくんだ。そのときに、湯気の水分の影響でかつお節が伸び縮みするから、揺れるんだよ」

「へぇ、やっぱり真実くんって、何でも知ってるんだね」

健太が感心していると、うしろから美希の声がした。

「お待たせ！　じゃあ行こう、こっちこっち」

3人が向かったのは商店街の不動産会社。とても古い事務所で、黄ばんだ窓ガラスには物件のチラシがたくさん貼られていた。依頼人は不動産会社を営む老女、地神さんだ。

「アタシが管理する廃病院の土地があるんだけど、最近、死者の魂が出るとかなんとかって、変なうわさをたてられてねえ。まったく。土地も売れないし、ほんとに困っちゃってんのよお」

地神さんは、タブレット型のパソコンを持ってくると、動画を再生した。屋上から、ぼんやりとした光を放つ火の玉がいくつも空へ昇っていく。

健太は思わず叫んだ。

「真実くん、ぼくが見たの、この動画だよ！　これってさ……きっとこの病院で死んだ患者さんたちの成仏できない魂が、あの世に行くところだよね!?」

健太はおびえたように、真実を見た。

「興味深い現象ではあるね……。でも、すべての謎はぼくに解かれる運命にあるのさ。さっそく明日、この病院に行ってみよう」

真実の言葉に健太は絶句して、一気に背筋が冷たくなるのを感じた。

FILE 0002

（まさか、昨日見ていたあの動画の場所に、ぼくが行くことになるなんて……）

翌日の夜。

健太、真実、美希の３人は、町はずれの丘にある廃病院の前に立っていた。

群青色の空に赤い満月が浮かぶ。満月を背に立つ廃病院は、うっそうと茂るツタにおおわれ、不気味な空気を放っていた。

健太は、気合を入れるかのように、「ッシャ!!」と声をあげた。

「……あれ、やけに強気じゃない？　健太くん」

「うん。まかせてよ、美希ちゃん！」

美希はふと、健太の服がやけにふくらんでいることに気づき、健太がはおっているジャンパーをめくってみた。

なんと、健太の体中に、びっしりとお守りが付いていた。

「あ、や……、あの、これは、念のためにだよ」

「交通安全、縁結び……って、全然これ、魔よけじゃないじゃん！」

FILE 0002

「え、美希ちゃん、このお守りじゃダメ？」

美希と健太が話しているとなりで、真実は廃病院をじっと見つめていた。そして、不動産会社の地神さんから借りた鍵で鉄の門を開けると、敷地内へ入っていった。美希もワクワクした顔で、カメラを構えながら真実に続く。健太は勇気をふりしぼって、2人のあとを追った。


真実たちは、病院のロビーから奥へと廊下を進んでいく。

真実は懐中電灯をかかげ、先頭を進む。健太は交通安全のお守りをギュッと握りしめ、緊張しながら歩く。健太が見た動画のとおり、床には割れたガラスや壊れた注射器の破片が散乱し、病室にはさびたベッドが放置されていた。

ブオォーバタバタバタ!!

けたたましい音が響き、白い布がはためいた。

「ギャー――!!　出たー!!」

健太は、かん高い悲鳴をあげた。

「出た、出た!! 白い服の幽霊!!」

「健太くんの声のほうがビックリする! カーテンが風で揺れただけでしょ!」

美希に怒られても、健太の胸のドキドキは止まらない。

(やっぱり怖い。もうムリだよ……。この先、いったい何が待っているのかな……)

真実たちは、廃病院の廊下を、懐中電灯のかすかな光をたよりに前に進む。

健太は恐怖で身を硬くしながら、やっとの思いで歩みを進めた。

美希はシャッターチャンスをのがすまいと、写真を撮り続けている。

「ちょっと美希ちゃん、バチが当たるよ。この病院には死んだ患者さんの魂がいっぱいいるっていうのにさ」

「そうかなぁ……。もし、わたしがさまよっている魂なら、学校新聞の記事になって、みんなに無念さを知ってもらえたらラッキーと思うけど」

健太はげんなりしつつも、美希のポジティブさがうらやましかった。

そのときだった。廊下の奥を、スーッと人影が横切った。

「……えっ、何かいた! 今度こそ、絶対見た!」

健太が指さす方向を真実や美希たちも見たが、そこには何もなかった。

「よし見に行ってみよう」

「えっ、真実くん、ホントの幽霊だったらどうするのさ!?」

「健太くん、恐怖というのは無知から生まれるんだ。まずは何でも自分の目で確かめてみることさ」

真実の言葉にはげまされ、健太も勇気を出して人影の消えたほうへ向かう。

そこは手術室のようだった。傾いて放置されたままの手術台があった。

だが、誰もいなかった。

「もういいよ、早くこの部屋出ようよ。人影はきっと、ぼくの気のせいだったんだ」

健太は気味が悪くて、すぐに部屋を出るよう、2人に促した。

3人はついに、死者の魂が天に昇っていくという屋上にたどり着いた。

「……見たところ、何もなさそう……だよね?」

健太はおそるおそるあたりを見回した。

「それにしても、すごくきれいな夜景……」

屋上からは花森町が一望できた。美希は、明かりがにじむ町に見とれた。

けっきょく、死者の魂を見ることができないまま、健太たちは建物から出て、廃病院の門まで戻ってきた。

「なーんだ、デマか……。せっかくスクープをゲットできると思ったのに」

美希は、がっかりしていた。

（でも、あの動画で見たときは確かに映っていたのになあ……）

健太はそう思いながら、なにげなく顔を上げた瞬間、視線の先に何かをとらえた。

「えっ、あれ!!」

健太は大声をあげ、屋上を指さした。

真実と美希が健太の指さしたほうを見ると、10個ほどの気味の悪い光が、スーッと天に昇っていった。

健太は、ガクガクと震えるひざを必死に押さえながら声をあげた。

「でっ、出たっ！　やっぱりホントだったんだ。死者の魂が出るって……」

「スクープ!!　大スクープよ!!」

美希はあわててシャッターを何度も切った。

しかし、真実だけは冷静だった。

「よし、すぐにあの屋上に戻ってみよう」

「え、真実くん、戻るの!?　今、死者の魂が出たばっかりなのに？」

健太は、戻る気にはとてもなれなかった。

「本当に死者の魂かどうか、自分の目で確かめてみようよ」

そう言って真実と美希は、ふたたび建物の中へと入っていった。健太も1人になりたくないと思い、しかたなく2人に続いた。


廃病院の屋上に上がると、健太は床に液体がポタポタと落ちているのを見つけた。

「何だろ、これ？」

真実は、その場にかがんで、液体のにおいをかいだ。

「これは油だ……。よし、建物のまわりもよく見てみよう」

続いて、真実たちは建物のまわりを歩いた。

すると、黒くこげた紙きれを発見した。向こうが透けて見えるぐらい薄い紙だ。そばには油のしみこんだ布の切れ端や、輪っかと十字の形に細工された針金が落ちていた。

真実はそれらを手に取った。

「やっぱりそうか……。科学で解けないナゾはない。すべて謎は解けたよ」

「え、真実くん、もう？　死者の魂の謎が解けたの？」

「この紙を袋状にして、中に針金の枠と油のしみこんだ布をセットしたんだろう」

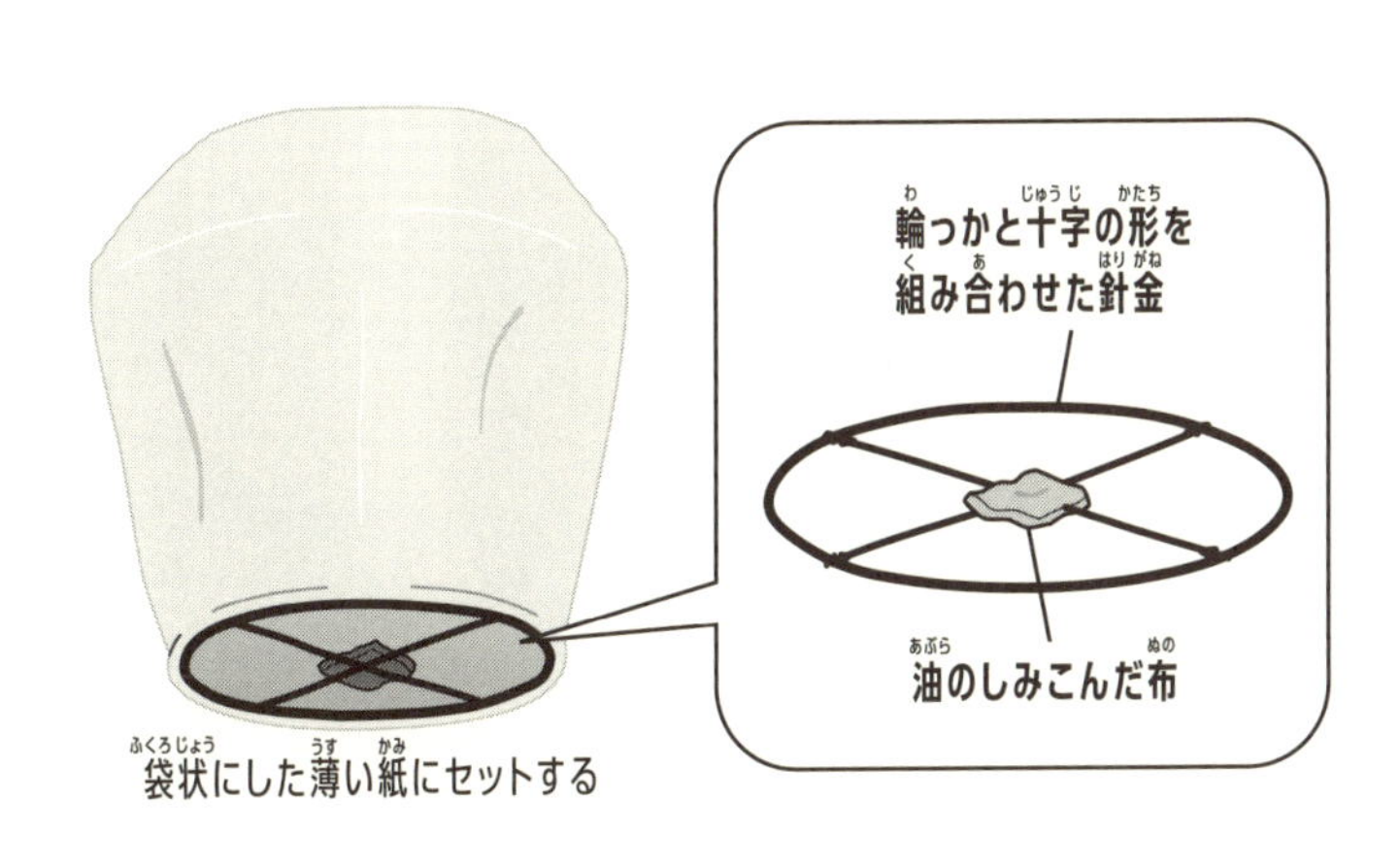

「……それが空を飛んだの？　あっ、ラジコン付けてとか？」

「いや、健太くん。もっと簡単さ。……そう、たこ焼きでかつお節が揺れる理由を思い出してみるといいよ」

真実は、そう言ってにっこりと笑った。

（たこ焼きにかつお節？　紙の袋を飛ばすのに何の関係があるの？）

健太には、まったくわけがわからなかった。

いったい、どうやって紙の袋を飛ばしたのだろうか？

解決編

真実は、健太と美希に説明した。

「紙の袋に油のしみこんだ布をセットして、その布に火をつけるんだよ」

「火を？」

健太は意外そうにつぶやいた。

「うん、火をつければ、紙袋の中の空気が加熱される。そして熱くなった紙袋の空気は周囲の空気と比べて軽くなるから、上昇していくんだよ」

「あ、それって、もしかして気球といっしょ？」

「美希さん、そのとおり。熱気球と同じ原理さ」

「あ、そうか……。それで、真実くんはたこ焼きとかつお節を思い出せって言ったのかぁ。たこ焼きも熱い湯気が上昇して、かつお節が揺れるんだもんね」

「そうだよ、健太くん。これは空飛ぶランタン、スカイランタンと呼ばれるものでね。海外では、これをいっせいに放つ祭りもあるんだ」

「あ……ぼく、それテレビで見たことあるよ！」

健太は、火のついた無数のランタンが夜空に飛んでいく光景が、とてもきれいだったことを思い出した。

「うん、タイのコムローイ祭りだね」

真実は、小さくうなずいて、言葉を続けた。

「屋上の床の油、そして外に落ちていたスカイランタンの部品。この現象は完全に人の手によるものさ。さっき健太くんが見た人影が、そうに違いない」

健太がふと屋上から見下ろすと、裏口からコソコソと逃げていく人影を見つけた。

「あ、あそこ！　アイチューバーのレオカンたちだ！」

「……じゃあ、これって、あの人たちの自作自演!?　なのに、みんな知らずに動画を楽しんでるってこと!?」

美希がいきどおって声をあげる。

「あーあ、ぼく夢中で見てたのに……。みんなにも知らせてあげなくちゃ！」

「でも健太くんさ、向こうは視聴者がめちゃくちゃ多い人気アイチューバーじゃん。わたしたちの言うこと、みんな信じてくれるかな？」

美希の言葉に、健太の顔が曇った。

「……そう言われたら、確かにそうだよね。美希ちゃん」

すると、真実は眼鏡を人差し指でクイッと上げ、美希と健太を見つめた。

「それなら、ぼくに考えがあるよ」

「イェーイ、これが、呪いの病院の死者の魂の正体だーっ!!」

次の日、動画サイト「ITube」に、人気アイチューバーのハイテンション・アガルが動画をアップした。アガルはスカイランタンをつくって、種明かしをしている。

ハイテンション・アガル
怪奇現象トリックをあばく!!

健太たちは、以前、真実が解決した「妖魔の村」事件でアガルと知り合った。真実はアガルに頼んで、死者の魂が空に昇っていく怪奇現象のトリックを、世間に広めてもらったのだ。

「ハイテンション・アガル、まるで自分がトリックを見破ったみたいに見せてる……」

美希はくやしそうに言った。

「いいんだ。おかげでみんなに真相が知れ渡るんだから」

肝試しアイチューバー・レオとカンスケは、トリックがばれて多くの人に非難され、怪奇現象を捏造していたことを謝罪。騒ぎは収まった。

数か月後、不動産会社の地神さんからお礼の手紙とまんじゅうが届いた。

放課後、健太たちは近所の公園に集まって、まんじゅうを食べながら、手紙を読んだ。廃病院の土地は無事に売れて、遊園地になるという。

「へえ……、あの場所、遊園地になるんだ！」

健太は、あの丘で、みんなが楽しげに遊ぶ姿を想像した。

「まさか、あの肝試しスポットがね〜」と、美希も驚いている。

「もともと、建物や土地に罪はないんだよ。おもしろがってうわさを流したり、勝手に土地に呪いをかけたりするのは、いつも人間なんだ。病院で無念な気持ちで亡くなった人もいるかもしれない。でもね、忘れてはならないのは、病院は多くの人の命を救っている場所でもあるということさ」

真実が語った言葉に、健太はハッとした。

「そう考えたら、そうだね……すごく失礼なことだよね」

健太のうつむいた顔を見て、美希はいきなりかけだした。

「よし、競走！　誰があのすべり台まで先に到着できるか」

「ふふ、それはいいね。このところ読書ばかりで、体がなまっていたんだ」

真実も、美希を追って走りだす。

「ちょっとずるいよ〜。ぼく、まだおまんじゅう食べてるのに！」

健太は少しむせながら、あわてて2人の背中を追いかけた。

「廃病院に舞う霊魂」終わり

空気を暖めて空を飛ぶ

タイの「コムローイ祭り」

空気が暖まると軽くなるので、上に向かう空気の流れ、「上昇気流」が生まれます。

事件に出てきた「スカイランタン」は、その原理を利用したもの。ほかにも、熱気球なども同じ原理を利用しています。

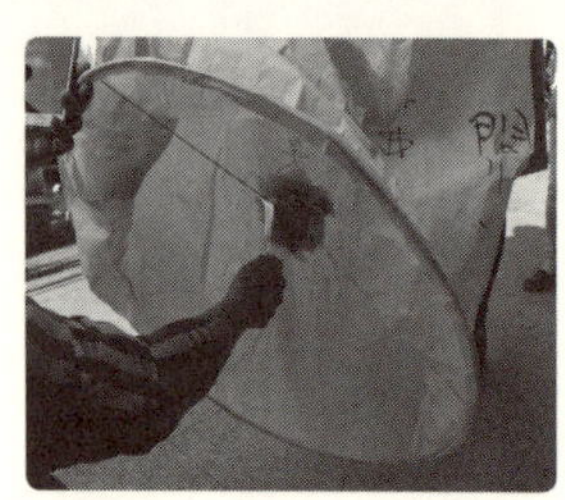

世界各地にスカイランタンを飛ばすお祭りがある。写真は、台湾の「平渓天燈祭」で、スカイランタン（「天灯」と呼ばれる）に、火をつけているところ。

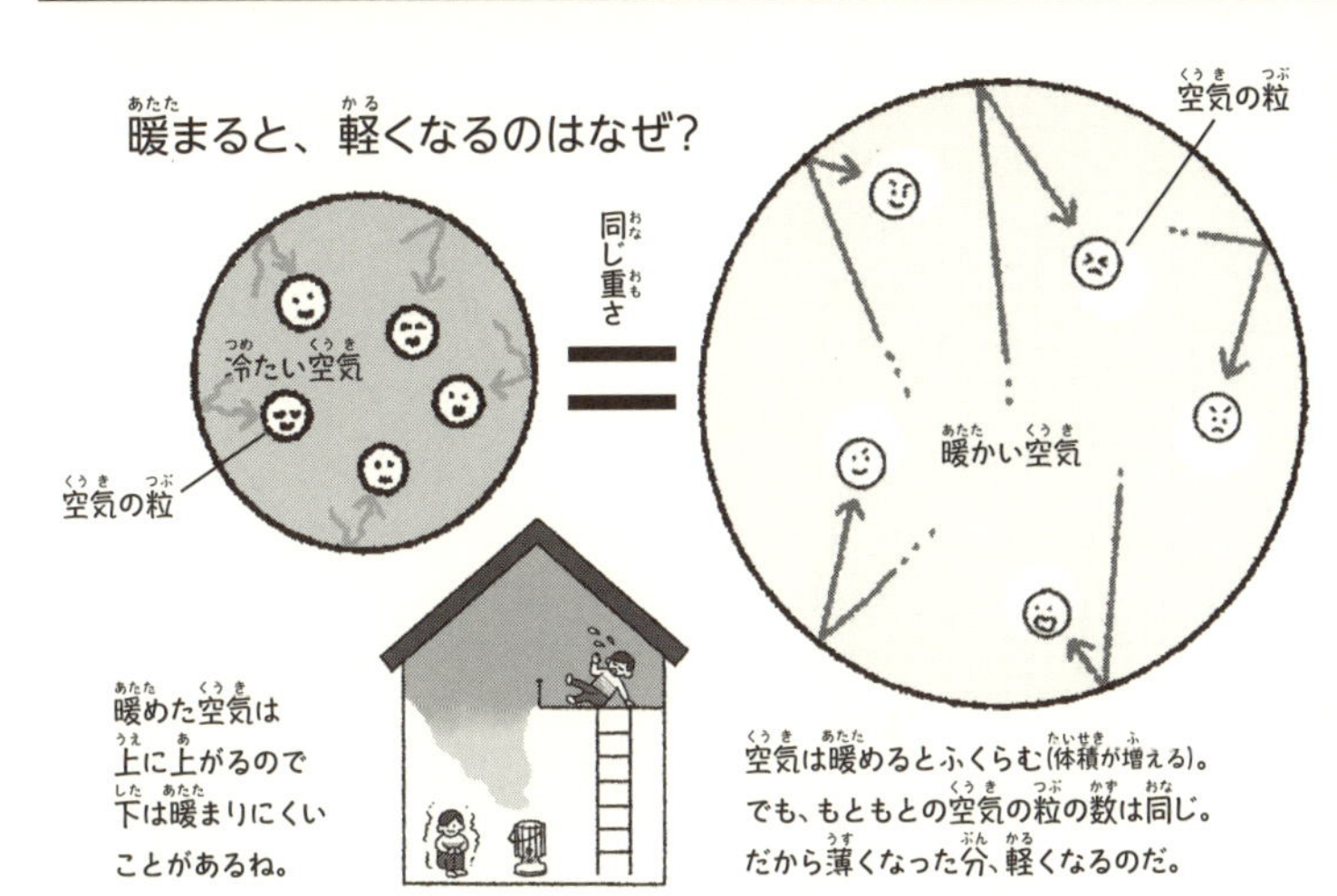

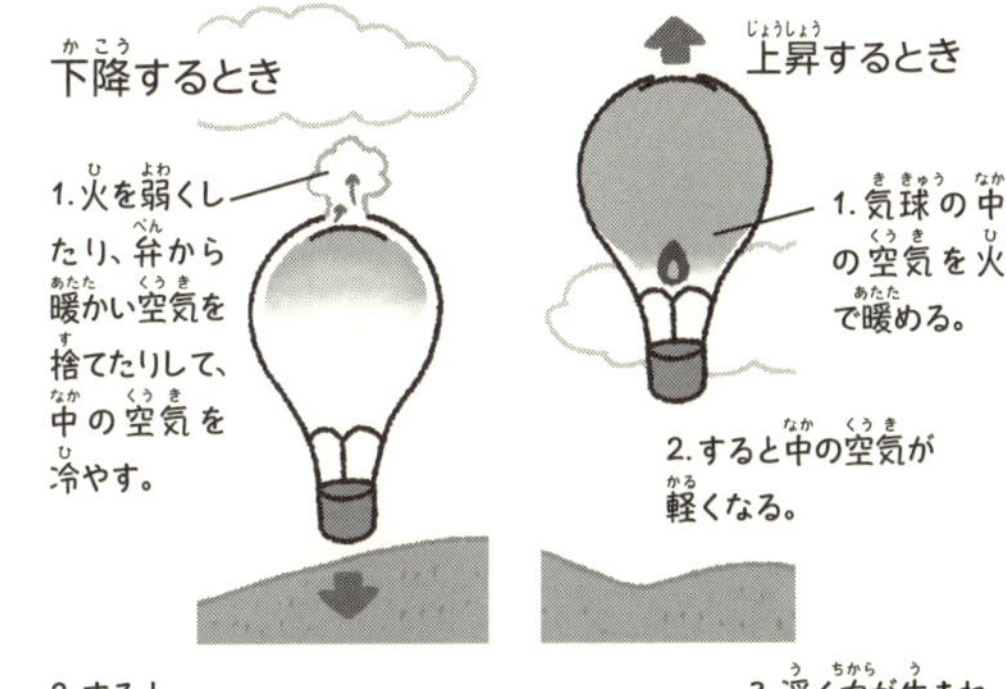

一般的な気球では、
中の空気を0℃から
70℃まで暖めると、
約530kgも
軽くなるんだ

怪奇事件ファイル 3

マサオさんの呪い

「コックリさん、コックリさん、あなたのお名前は何ですか？」

ここは、花森小学校の4年3組の教室。

放課後、3人の少女たちが、10円玉と文字盤を使って霊を呼び出す「コックリさん」をやっている。

1人が質問をすると、少女たちが指をのせた10円玉は文字盤の上をスーッ、スーッ、スーッと3回動き、『ま』『さ』『お』という文字をさした。

「まさお？」

「もしかして、あの……学校霊のマサオさん!?」

少女たちは、ゾッとして顔を見合わせる。……すると、次の瞬間！

質問もしていないのに、10円玉はまた動きだした。

10円玉がさした文字は、『の』『ろ』『う』――『呪う』という言葉だった。

「たいへん、たいへんよ!!」

数日後の昼休み。

6年2組の教室にいた謎野真実と宮下健太のもとに、となりのクラスの青井美希が、大騒ぎしながら、かけこんできた。

「4年3組で大事件が起きたの！」

美希は、「名探偵・謎野真実のお部屋」というホームページを運営している。そこに、4年3組の児童から、謎解きを依頼するメールが送られてきたのだ。

「えっ、なになに？　どんな事件？」

健太は、すぐに身を乗り出してきたが、真実は、読んでいた本から目を離さず言った。

「昼休みの読書時間を犠牲にできるほど価値のある事件なのかい？」

すると、美希はじれったそうにしながら、「とにかく、いっしょに来て！」と、2人を引っ張っていく。

「『百聞は一見にしかず』よ！　わたしも信じられなかったけど、アレを見たら、本物の呪いとしか思えなくて……」

「呪い!?」

健太は興奮しながら、叫んだ。

美希が、真実と健太を連れてやってきたのは、校舎の裏側だった。

コンクリートで舗装されたその場所には、4年生が理科の授業で栽培中のコスモスの鉢が、ズラリと並んでいる。

「見て!!」

美希が指さした場所には、4年3組のコスモスの鉢が置かれていた。

「うわっ、何これ!?」

健太は、思わず声をあげる。なんと3組のコスモスだけが、すべて、茎のところで『く』の字に折れ曲がっていたのだった。

「この組のコスモスだけが、ぜんぶ、茎のところで折れ曲がるなんて、ふつうじゃありえないでしょ?」

美希が言うと、真実もうなずいた。

「まあ、ふつう植物は、上に向かって伸びていく性質があるからね」

「誰かが、無理やり折り曲げたってことは考えられない？」

健太がそう尋ねると、真実はコスモスをじっくりと見ながら、「いや、それはないな」と言った。

「茎が、わざと折り曲げられた形跡はない。このコスモスは、何らかの原因で自然に曲がったんだ」

真実、健太、美希の3人は、4年3組の教室へ行き、クラスを代表して美希にメールを送ってきた児童に話を聞いた。

「連休前、コスモスに異常はなかったんです」

学級委員をしている、その児童の話によると、3連休が始まる前、コスモスの茎は、すべて真っすぐだったという。しかし、連休が明けて学校へ来てみると、茎がぜんぶ、曲がっていたらしい。

「みんな、マサオさんの呪いじゃないかって、うわさしてて……」

「マサオさん？」と、健太が聞き返した。

「『花の好きなマサオさん』よ。健太くん、知らないの？」

横から、美希が言った。

美希によると、マサオさんは、花森小学校の学校霊だという。

「マサオさんは、昔、この学校にいた児童で、花の好きなやさしい男の子だったの。でも、小学3年生のとき、病気で亡くなってしまったんだって。それ以来、放課後の花壇でマサオさんを見たという人が何人もいるそうよ」

「へえ。そんな学校霊がいたなんて知らなかったなぁ」

「健太くんが知らないのも無理ないかもね。園芸クラブとか、花壇係とか、一部の人たちのあいだだけで語り継がれているうわさだから」

「でも、それじゃマサオさんは、やさしい霊なんじゃない？」

「そう。ひとことで言えば、マサオさんは、植物の守り神。植物を大切にする児童には幸せをもたらすけど、世話をしなかったり、花壇を荒らしたりする児童には、罰を与えるって言われてるの」

「罰を与える……？」

健太はつぶやき、背筋が寒くなった。

真実、健太、美希のまわりには、いつの間にか4年3組の児童たちがおおぜい集まっていた。児童たちはみんな、おびえきったようすだった。怪奇現象は、ほかにもいろいろ起きている、と口々に言う。

「あたしね、昨日、金しばりにあったの」

「わたしは、今日、学校のトイレで不気味な笑い声を聞いたわ」

「ゆうべ寝ようとしたとき、シーツが首にからみついてきたんだ。霊が首をしめようとしたのかも……」

「ぜんぶ、マサオさんのしわざだよね？」と、児童たちは口をそろえた。

しかし、真実は、「ぜんぶ、科学で説明できることさ」と言い切った。

「金しばりは、体が寝ている状態のとき、脳が起きていると起こる現象なんだ。霊や呪いとは、いっさい関係ない。トイレの笑い声は、上の階の声が換気扇の排気管を通して伝わってきただけさ」

「じゃあ、シーツが首にからみついてきたのは？」

健太が問いかけると、「それは静電気さ」と、真実は答える。

「アクリルなどの化学繊維のシーツは、静電気を起こしやすい。その上で体を動かすと、摩擦により静電気が起き、からみついてくるのは、よくあることさ。……コスモスが折れ曲がった現象も、科学で説明がつくはずだ」

「なんだ。そうだったのか」

おびえていた児童たちは、ほっとしたようすで明るい顔になった。

ところが、そこに、3人の少女たちが現れ、言った。

「ううん、違うわ。あれは、やっぱりマサオさんの呪いよ！」

「じつはわたしたち、連休前に、この教室でコックリさんをやって……マサオさんの霊を呼び出しちゃったの」

「マサオさんは、文字盤で、『の』『ろ』『う』と言ってきて……」

「怖くて、わたしたち、『どうぞ、お帰りください』って言うのも忘れて、そのまま家に帰っちゃったの」

「それじゃ、マサオさんの霊は、今も帰らず、この教室にいるってこと!?」

「そんな……。わたしたち、みんな、呪われちゃう！」

少女たちの告白を聞いて、４年３組の児童たちは、またもパニックにおちいった。

「怖がらなくても、だいじょうぶさ。コックリさんの10円玉は、ひとりでに動いてるわけじゃない。誰かが無意識に、あるいは、わざと動かしてるんだ」

真実は、みんなをどうにか落ち着かせようとしたが、そのとき、昼休み終了のチャイムが鳴った。真実たちは、やむなく自分たちの教室に戻った。

この日の放課後。茎が折れ曲がったコスモスのことを、さらに詳しく調べるため、真実たちは、校舎の裏へとやってきた。

そこには、コスモスに水をやっている少女の姿があった。

少女は、コックリさんでマサオさんの霊を呼び出した３人の女の子のうちの１人だった。真ん中分けのショートボブと、やさしげな目元が特徴の少女である。

「きみは？」

真実が名前を尋ねると、少女は答える。

「秋本花美。4年3組の花壇係よ」

花美は毎日、放課後になると、この場所に来て、クラス全員のコスモスに水やりをしているという。

「えっ、花美ちゃんが1人で？」と、健太は驚く。

「だってクラスのみんな、水をやりに来ないんだもん。最初のころは、みんな、ちゃんと、来てたのに……お花、枯れちゃったら、かわいそうでしょ？」

「へえ。花美ちゃんって、やさしいんだね」

「あ……でも、だったら花美ちゃんが、マサオさんの霊に呪われる心配はないんじゃない？」

美希も笑顔で言ったが、花美は悲しげに首を振った。

「マサオさんは、クラスのみんなのことを怒っているんだと思う。だって、うちのクラスの人たち、お花を大切にしないんだもん。わたし1人ががんばっても、呪いは解けないよ」

水やりを終えた花美は、さびしそうなようすで、その場を去っていった。

その背中を、真実はじっと見つめる。それから、ふっと溜め息をもらし、あたりを見回した。

「この場所は日当たりが良く、どの鉢にも、太陽の光が当たっている。コスモスの茎が、光を求めて曲がった可能性はなさそうだな」

「だとすると、茎が曲がったのは、やっぱりマサオさんの呪いなんじゃ……」

健太は、おびえながらつぶやいた。

「いや、この現象は、生きた人間が、あるトリックを使って起こしたもののようだ」

真実は、そう答えると、コスモスの鉢が置かれたコンクリートの地面に目を落とした。それぞれの鉢のわきには、鉢からこぼれたと思われる土が、少しずつ散らばっている。それを見て、真実はにっこりとほほえんだ。

「なるほど。やっぱりそうか」

「真実くん、謎が解けたの？」

健太が尋ねる。

「ああ、ほぼね。しかし、推理には裏づけが必要だ」

真実はそう言うと、健太と美希のほうを向いた。

「4年3組のコスモスだけが、茎のところですべて折れ曲がった——。一見、不思議に見える現象だけど、実は簡単なトリックで、誰にでも起こすことができる。ぼくは、今からこの現象を再現してみせるよ」


真実は、真実たちのクラスの担任で、理科クラブの顧問をしている大前先生のところへやってきた。

「先生、教材用のコスモスの鉢を1つ、貸していただけませんか?」

「ん? いいけど。謎野、そんなもの、どうするんだい?」

白衣姿の大前先生は、のぞいていた顕微鏡から顔を上げ、真実に問いかけた。

「ちょっとした実験をやろうと思っているんです」

真実が答えると、大前先生は、ベランダからコスモスの鉢を1つ持ってきて、真実に渡した。それは、茎が真っすぐな、ふつうのコスモスだった。

真実は、大前先生から借りてきた、そのコスモスに目印をつけ、裏庭に置いた。そし

て、いまだ意味がわからず、キョトンとしている健太と美希に言った。

「３日後に、このコスモスを見にきてほしい。そのころには結果が出ているはずだから」

健太と美希は、不思議そうに顔を見合わせたが、真実には何か考えがあるのだろうと理解し、「うん、わかった」とうなずいて、その場を離れた。


３日後。健太と美希は、真実とともに裏庭へとやってきた。

そこに置かれた印のついたコスモスを見て、２人は驚き、目を見開いた。

なんとコスモスは、茎のところで「く」の字に折れ曲がっていたのだ。

「これって、４年３組のコスモスと同じよね」

「真実くん、いったいどうやったの？」

すると、真実はニヤリとし、「たいしたことじゃないさ」と答える。

「ぼくは３日前、きみたちが帰ったあと、このコスモスに、あることをしただけさ」

はたして、真実がした「あること」とは、いったい何だろう？

解決編

「3日前、ぼくは、このコスモスの鉢を横に倒しておいたんだ」

真実は、自分がしたことを答える。

「えっ、横に倒しただけ？」

「たったそれだけで、こんなふうに茎が曲がったりするの？」

健太と美希は、またも驚き、目を丸くした。

「2人は、重力って言葉を聞いたことはあるかな？」

真実が尋ねると美希が答えた。

「重力って……確か、地球の中心――つまり下に向かって引き寄せられる力のことよね」

「そのとおりだよ、美希さん。実は植物は、重力を感じて伸びる方向を決めるんだ。茎は重力と反対方向に、根は重力と同じ方向に伸びていく。『重力屈性』という性質だよ」

「なるほど、そうか」と、健太はつぶやいた。

「だから、木や草や花は、真っすぐ上に伸びていくんだね」

「うん、そうなんだ、健太くん。でも、このコスモスのように、ある程度の期間、横に倒れた状態のままだと、茎はその状態での重力を感じて、途中から曲がって上に伸びるんだ」

「なるほどね。それをまた、もとに戻しておけ

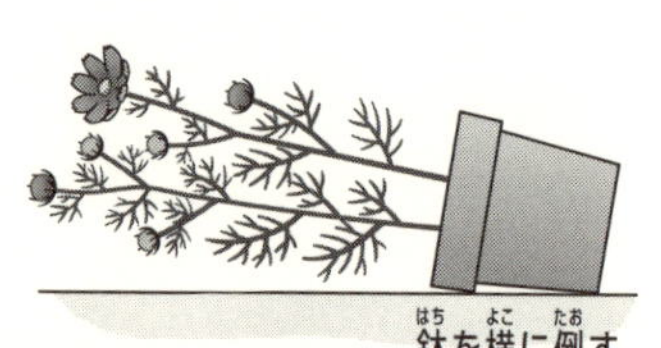

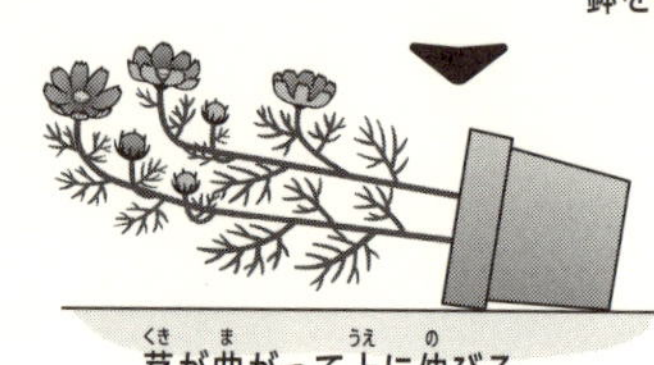

ば、茎がひとりでに折れ曲がったような、怪奇現象を起こせるってわけね」

真実の説明を聞いて、笑みを浮かべながら、美希が言った。

「じゃあ、4年3組のコスモスの茎が、ぜんぶ折れ曲がっていたのは、マサオさんの呪いじゃなかったんだね？」

健太が念を押すと、「もちろんさ」と、真実は答える。

「4年3組の鉢は、連休前に何者かがぜんぶ、横に倒しておいたんだ。そして、連休が明けた朝、もとに戻しておいた。茎が折れ曲がったコスモスを見て、クラスのみんなが、それを学校霊のしわざと思いこむようにね」

「そっか。そういうことだったのか。だけど、ひどいな。マサオさんの呪いに見せかけて、みんなを怖がらせるなんて……。いったい何が目的でそんなことをしたんだろう？」

健太が言うと、真実は顔を曇らせた。

「この騒ぎを起こした人物は、悪気があったわけじゃない。ある目的のために、しかたなくやったのさ。でも、どうやら目的は果たせなかったようだね」

「真実くんは、誰がそんなことをしたのか、もうわかってるのね」

美希に聞かれて、真実は重い表情でうなずく。

逆光の中に、じょうろを手にした、細身の影が浮かび上がったのは、そのときだった。

じょうろを手に現れたのは、４年３組の花壇係、秋本花美だった。

いつものように、クラス全員のコスモスに水をやりに来たのである。

真実は、花美に歩み寄ると、その目を真っすぐ見つめながら言った。

「秋本花美さん、今回の騒ぎを起こしたのは、きみだね？」

花美は、ギクリとして凍りついた。真実は続ける。

「４年３組のみんなは、きみがコスモスの世話を一生懸命やっているのにあまえて、水やりをしなかった。そこできみは、学校霊の呪いを装い、みんなを怖がらせて、反省させようとした。……そういうことだろ？　秋本花美さん」

花美はしばらく黙りこんだあと、観念したようにうなずいた。

植物に詳しい花美は、茎が重力と反対方向に伸びることを知っていた。

「それでわたし、コスモスの鉢を横に倒して茎を曲げ、マサオさんの呪いに見せかけようと思ったの」

コックリさんで10円玉を動かし呪いの予告をしたのも、花美のしわざだった。

「でも、わたしがしたことは、何にもならなかった。茎が折れ曲がったコスモスを見て、クラスのみんなは気味悪がって、水やりどころか、コスモスに近づくことさえなくなっちゃったんだもん」

「そんな、花美ちゃんが犯人だったなんて……！」

健太と美希は、驚いた顔になる。

しかし、うなだれている花美を見て、2人は言った。

「ねえ、花美ちゃん。そんな回りくどいことするより、直接、みんなに言ったほうがいいと思うよ」

「そうね。花美ちゃんの気持ち、きっとみんな、わかってくれるわよ」

2人に背中を押された花美は、4年3組のみんなに本当のことを打ち明けた。

「みんな、怖がらせてごめんね。でもわたし、みんなにもっとお花を大切にしてもらいたかったの。いっしょにコスモスの水やりをしてほしかったんだ」

告白を聞いたクラスメートたちは、すぐに花美の気持ちを理解した。

「こっちこそ、ごめんね」

「花美ちゃん、今まで水やり、ありがとう」

それからというもの、4年3組は、放課後になると、毎日、みんなでいっしょにコスモスに水をやるようになった。

そんな下級生たちの姿を、真実、健太、美希の3人は、遠くから笑顔で見つめていた。

「マサオさんの呪い」終わり

植物の成長の秘密

植物は、動物のような目も耳もないのに、どうやって上下を知り、上に向かって伸びていくのでしょうか。そして、どうやって太陽の方向を知り、太陽のほうを向くのでしょうか。

実は、これらは、「オーキシン」という、植物の成長を調節する物質のはたらきによって、自然にそうなるようにできているのです。植物が、どんな環境でも生き残れるための、たくみなしくみです。

茎は、なぜ上に向かって伸びるの？（重力屈性）

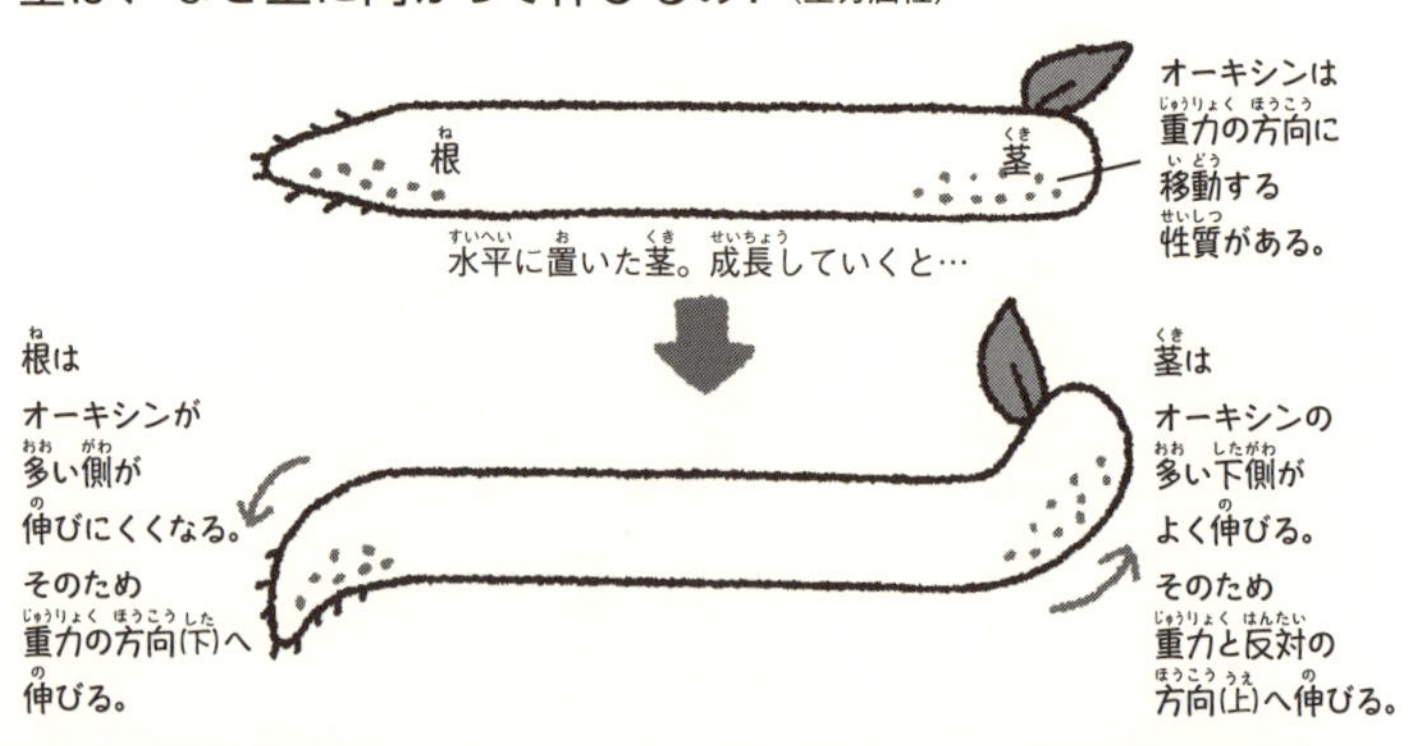

茎は、なぜ太陽のほうを向くの？（光屈性）

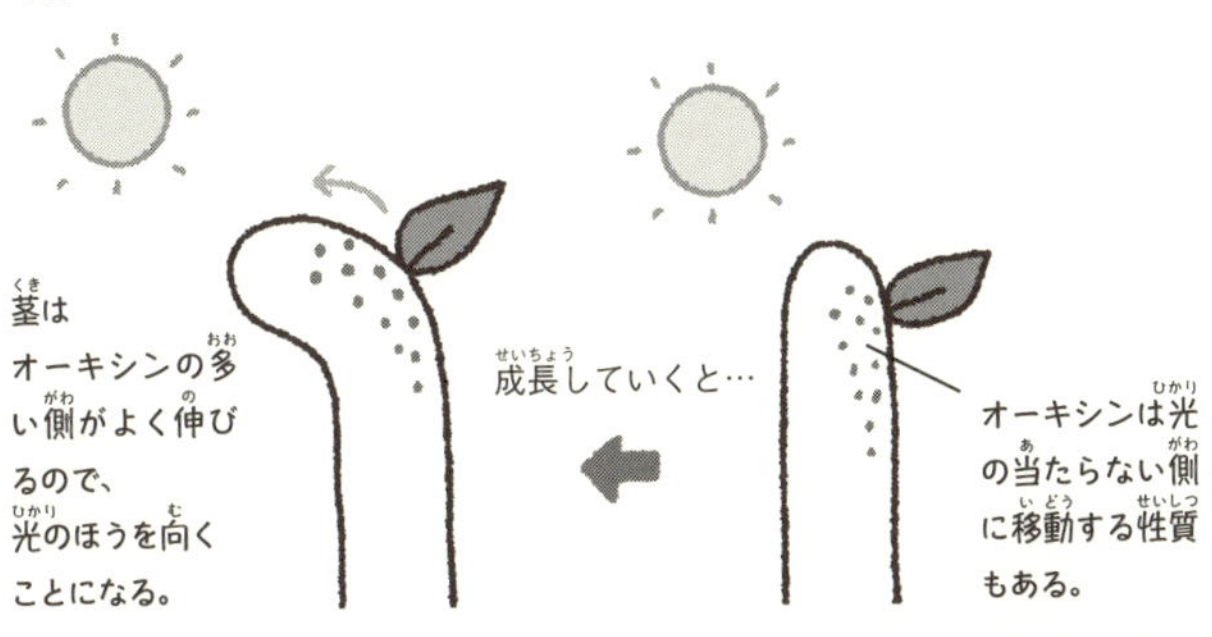

茎は
オーキシンの多い側がよく伸びるので、
光のほうを向くことになる。
成長していくと…
オーキシンは光の当たらない側に移動する性質もある。

植物は意外と動いているんだよ

「ひまわり」は、太陽の方向を追いかけるように成長することから、その名が付いた。
ただし、花が咲くころになると成長が止まるので、太陽を追うこともなくなる。

怪奇事件ファイル 4

ダイヤの秘密をあばけ

「火急の儀あり。相談いたしたく候」

ある日の放課後、青井美希が運営するホームページ「名探偵・謎野真実のお部屋」に届いたメールを見て、宮下健太は首をひねった。

「時代劇に出てくるセリフみたい。真実くん、これってどういう意味？」

「とにかく急いでるってことさ。行ってみればわかるよ」


真実と健太がやってきたのは、町はずれにあるボロボロのお屋敷だった。

「よく来たね。アタシの名前はテツだよ」

２人を迎えた老婆は、魔術師のようにたくさんの指輪や耳飾りを身に着け、大きな目でギョロリと真実を見つめた。

「フン。うわさには聞いていたがね。どう見てもただの子どもじゃないか。アタシの役に立てるとは思えないがね」

「お役に立てるかどうかは、お話をうかがってみないとわかりません」

真実が顔色ひとつ変えずに答えると、テツは「フン」と鼻を鳴らし、２人を座敷の奥の部屋へと案内した。

「これをごらん」

テツは机の引き出しから古い木の箱を取り出すと、ふたを開けて見せた。

呪文のように漢字がびっしりと並んだ布の上に、大きな2つのダイヤが並んでいる。

「うわ～、すごい！」

健太が思わず声をあげる。

「2つのうちのどちらかが当家に伝わる家宝のダイヤ『日輪のかけら』だ」

「えっ、どちらか……？」

まゆをひそめる健太に、テツはうなずいてみせた。

「わたしの父上は、家宝のダイヤを守るために、模造ダイヤやらガラス玉やら、多くのニセモノを用意してね、そのうち、どれが本物かわからなくなってしまったのさ。さあ、どちらが本物か、おまえさんに見抜けるかね？」

箱の中の2つのダイヤは、どちらもキラキラと美しく輝いている。

（どっちも本物みたいだ……。こんなの、いくら真実くんでも無理だよ）

健太がチラリと真実を見ると、真実は静かに顔を上げてこう言った。

「答えは簡単です。残念ですが、どちらもニセモノですよ」

「なんだって……!?」

テツは大きく目を見開いた。

「どっちもニセモノ!? どうしてそんなことが、すぐにわかるの?」

健太が驚いて声をあげる。

「簡単なことだよ。2つのダイヤをよく見てごらん。どちらも、下に置かれた布の漢字が透けて読めるだろう。本物のダイヤなら、こうはならない。文字は読めなくなるんだ」

「ほお〜、それはどうしてだい?」

魔術師のようなかっこうをしたテツが、大きな目で真実をにらむ。

「水が入ったコップにストローを入れると、ストローは曲がって見えますよね。これは、水が光を曲げてしまうからなんです。ダイヤは、この『光を曲げる性質』がとても強い。だから、本物なら、ダイヤの下にある文字も、光が曲げられて、ぼくたちの目には届かないはずなんです」

真実の答えに、テツはニヤリと笑った。

「確かにこの2つは、アタシが用意したニセモノだよ。テストは合格だ」

「テスト？　それって真実くんの力を疑ってたってこと!?」

不満そうな声をもらした健太に、テツがピシャリと言う。

「あたりまえさ。どこの馬の骨かもわからんボウヤに、大切な相談をするほど、アタシはお人よしじゃないんだよ」

「それじゃあ、次は本当の相談を聞かせてもらえますね？」

真実が言うと、テツはゆっくりうなずいた。

「2日前、この家の宝物庫から、家宝のダイヤ『日輪のかけら』が入った箱が盗まれた。しかし、箱の中には本物とニセモノが入り交じっておってな。盗んだヤツらにも、どれが本物か見分けがつかなかったらしい。昨日、ヤツらから届いた手紙がこれだよ」

テツが取り出した手紙にはこう書かれていた。

「明日の夜0時、港の倉庫で待つ。本物のダイヤがどれかを教えろ。警察に知らせたら

孫の命はない」

「孫の命はない⁉」

ハッとして、健太はテツの顔を見上げた。

「昨日から孫と連絡が取れん。頼む！　アタシといっしょに倉庫に行って、かわいい孫と家宝のダイヤを取り戻してくれんか⁉」

テツの大きなひとみに、みるみる涙がたまっていく。

「行こうよ、真実くん！」

健太の言葉に、真実は力強くうなずいた。


夜の0時。真実、健太、テツの3人は、ダイヤを盗んだ一味の指示に従い、港の倉庫へとやってきた。

倉庫の中に入ると、黒ずくめの男たちに、まわりを取り囲まれた。

「フェッフェッ。待ってたぜ、ばあさん。オレの名前は黒腹だ」

かん高い声とともに、ヘビのように鋭い目つきの男が近づいてきた。

手には木の箱を持っている。

とても古いもののようで、箱のまわりには呪文のような漢字が書かれている。

「ほう。お仲間もいっしょかい。その顔見たことあるぜ。確か、謎野真実とかいう名探偵だろ？　なら話が早え。さっそく、どれが本物の家宝のダイヤ『日輪のかけら』か、教えてもらおうか？」

「その前に……典夫は!?　典夫は無事なのかい!?」

「ああ。アンタのかわいい孫なら、あそこだよ」

大男の部下が黒い布をはずすと、中から現れたのは、健太たちが通う花森小学校の自称「熱血ティーチャー」、ハマセンこと学年主任の浜田典夫先生だった。

「典夫！　オメ〜はいっつもばっちゃんに迷惑かけて！　ええ加減にせえ！」

「ばっちゃん、違うんだよ。総理大臣が、オレと教育について語り合いたがってるって言うから車に乗ったら、こんなところに……。おお、謎野に宮下！　どうしてここにいるんだ!?」

「もしかして、かわいい孫って、ハマセン……!?」

健太は真実と目を見合わせた。

「孫が無事に戻れるかは、アンタらしだいだぜ。明日の朝までに、ボスに『日輪のかけら』を渡す約束なんだ。けどな、これじゃあ大目玉をくらっちまう」

そう言うと、黒腹は手にした古い木の箱を開けて見せた。

箱の中には、なんと30個以上のダイヤが、まばゆく輝いていた。

「こんなにたくさん……。どれが本物なの!?」

健太が小声でささやくと、テツはフン！と鼻を鳴らした。

「父上は、本物とニセモノをゴチャ交ぜにしてくれたからね。どれが『日輪のかけら』か、アタシにもわかりゃしないよ」

「さあ言え。どれが本物だ？　もし、間違ったり、うそを教えたりしたら……」

一味の大男が両腕でハマセンを抱え、力強くしめつける。

「苦しい～！　謎野～、頼む～！　気合で見つけてくれ～！」

次の瞬間、真実の声が倉庫に響いた。

「『日輪のかけら』を見つける方法を教える。だから先生を放してくれ」

真実は、ダイヤの入った箱をじっと見つめて言う。

「ニセモノの中から、本物のダイヤを見つけ出す方法がある」

すると、黒腹は目を細めた。

「ほ〜う。どうやるんだ、教えてもらおうか」

「鍵は、家宝のダイヤに付けられた名前だよ」

「ダイヤに付けられた名前……？」

健太が首をかしげた。

「宝石の中には、紫外線など、目には見えない光を当てると蛍光色に光るものがあるんだ。ぼくの推理が正しければ、箱の中のダイヤに、紫外線を出すブラックライトの光を当てれば、『日輪のかけら』は、日輪……つまり、太陽のように光るはずだ」

「なるほど……。ブラックライトなら、この倉庫にあったはずだ」

黒腹の指示でブラックライトの光がともされた。

すると……なんと、箱の中のダイヤが静かに光を放ちだしたのである。

青……緑……その中に1つ、まばゆく、オレンジ色の光を放つ石があった。

「おお、美しい……！　これぞまさしく『日輪のかけら』！」

テツが息をのむ。

「さあ。これがあなたたちの欲しがっているダイヤだ」

真実は、オレンジ色に光った石を手に取り、黒腹に手渡した。

「フェッフェッフェッ。ついに貴重なお宝を手に入れたぜ！」

次の瞬間、倉庫に健太の声が響いた。

「ダメだよ、真実くん！　テツさんのだいじな宝物を、ヤツらに渡すなんて！」

その言葉に、黒腹の顔から笑みが消えた。

「……確かに。世間で評判の名探偵が、こんなにあっさり敵にダイヤを渡すなんて、なんだかあやしいぜ……。まさか、このダイヤはニセモノ!?」

黒腹は真実の顔の前に、ダイヤの入った箱を突き出した。

「そういえばおまえさん、さっき、この箱をじっと見ていたな？　何か、もっとだいじな秘密に気づいたんじゃないのか？」

大男が、人質のハマセンの体をギリギリとしめあげる。

真実はテツの顔を見つめていたが、やがて静かに答えた。

「ああ。箱に書かれている漢字は暗号だよ。本物の『日輪のかけら』を見つけるためのね。ぼくはその謎を解いた」

「ええっ、暗号だって!?」

健太は驚き、古い箱に目をやった。

そこに書かれていた文字は……。


【破二・可一・羅二・ヲ・差二・ン・坐二・羅三・那一】


「暗号だって？　ボウヤ、いったいどういうことだい!?」

代々、家宝のダイヤを守ってきたテツは、驚いて声をあげた。

「ダイヤが入った箱に書かれた文字が暗号になっていたんです。【破二・可一・羅二・ヲ・差二・ン・坐二・羅三・那一】……よく見ると、2つの漢字がペアになっている。1つ目のペアは【破】と【二】。これは、『あかさたな』の『は行』の『2番目』の文字を指しているんです」

「『は行』の2番目の文字……つまり『ひ』ってこと!?」

健太の言葉に、真実はうなずいた。

そうして暗号を読み解くと……。

「ひ・か・り・を・し・ん・じ・る・な」

という言葉が現れた。

「つまり、ブラックライトを当てて光った石は、ダイヤをねらう者の目をあざむくニセモノってことさ」

真実の言葉に、健太はハッとした。

「あの中で、光らなかったダイヤが2つあった!　そのうちの1つが本物ってこと!?」

「そういうことになるね」

真実がうなずくと、黒腹は体を震わせて光った石を捨て、もう一度、箱を突き出した。

真実の目の前で、色も形も同じ2つのダイヤがキラキラと輝いている。

「どっちが『日輪のかけら』か教えろ。今度オレたちをだまそうとしたら……」

黒腹が合図をすると、大男の部下が人質のハマセンの体を両腕でしめつけた。

「ぐるじい〜！　暴力はんた〜〜い！」

「典夫〜！　だいじょうぶか〜！」

孫のハマセンの身を案じるテツの目には、涙があふれている。

真実は箱から顔を上げると、テツに歩み寄り、その涙をそっとぬぐった。

「だいじょうぶ。きっとぼくが何とかします」

そして、涙にぬれた指先を見てハッとした。

「そうか……本物のダイヤを見抜く方法はあります。天然のダイヤは、あるものに、とてもなじみやすい性質を持っているんです」

真実がバッグから取り出したのは……。

接着剤　油性ペン　充電器
いったいどれを使って、本物のダイヤを見つけ出すのだろうか？

「どうやって、本物の『日輪のかけら』を見つけるつもりだ？」

待ちきれないようすの黒腹に向かって、真実はあるものを突き出した。

「これを使うのさ」

その手に握られていたのは、「油性ペン」だった。

「これだけ見分けがつかないなら、ニセモノのほうは、出来のいい模造ダイヤだろう。模造ダイヤは、油性インクをはじく性質がある。だけど、天然ダイヤは、油になじみやすく、油性インクをはじかない。つまり、油性ペンで印を付けられたほうが、本物の

『日輪のかけら』ってことさ」

残されたダイヤは2つ。一同が見守るなか、真実は1つ目のダイヤを手に取り、ペン先を当てた。キュッと、音を立てて、ダイヤの表面に線が引かれる。

「あっ、印が付いた！ってことは、あれが本物のダイヤ!?」

健太が驚きの声をあげた。

続いて真実は2つ目のダイヤを手に取り、ペン先を当てた。しかし、線は引けない。

「わかっただろう？油性ペンで印が付けられたこれが、本物の『日輪のかけら』だ」

「フェッフェッフェ、確かに受け取った。これでようやくボスに渡せる。礼を言うぜ。ばあさん、かわいい孫の命は助けてやるよ」

そう言うと、黒腹たちはクルリと背を向け、その場を去っていった。

「ばっちゃ――ん！」

「典夫～！」

解放されたハマセンはテツにかけより、強く抱きしめた。

「ごめんよ～、ばっちゃん！　オレのために、家宝のダイヤをあんなヤツらに」

「いいえ。渡してなんかいませんよ。『日輪のかけら』は、ここにあります」

そう言って、真実が取り出したのは、油性ペンの印が付いていないダイヤだ。

「ええっ、どういうことなの、真実くん!?」

「油性ペンで印が付くのが本物のダイヤで、印が付かないのが模造ダイヤなんだろう？

ヤツらに渡したダイヤには、確かに印があったじゃないか！」

テツの言葉に、真実はうなずいた。

「確かに、そのとおりです」

みんなは、真実の言うことが、さっぱりわからないようすだ。

「あるトリックを使って、ニセモノを本物と思わせたんですよ」

「えっ、どういうこと!?」

健太たちは、キツネにつままれたような顔をしている。

「簡単なトリックだよ」

そう言うと、真実はバッグからセロハンテープを取り出した。

「じつは、1つ目のダイヤがニセモノだったんだ。そのままでは、油性ペンで印は付けられない。だから、バッグからいろんなものを取り出したときに、前もってテープを小さく切って手に付けておいた。そして、ダイヤを手に取ったときに、そのテープを貼って、上からペンで印を付けたんだ」

「じゃあ、2つ目のダイヤが本物だったのか！　でも本物なら、油性ペンで線が引けるはずだろう？　どうして、ペンで印が付けられなかったんだ？」

ハマセンが聞くと、真実はほほえんだ。

「テツさんのおかげですよ。ぼくの指先に付いたテツさんの涙を見て思いついたんです。油性ペン

本物のダイヤ

ペン先を水でぬらし
インクが出ない
ようにした

油になじむので
油性ペンで印が
付く

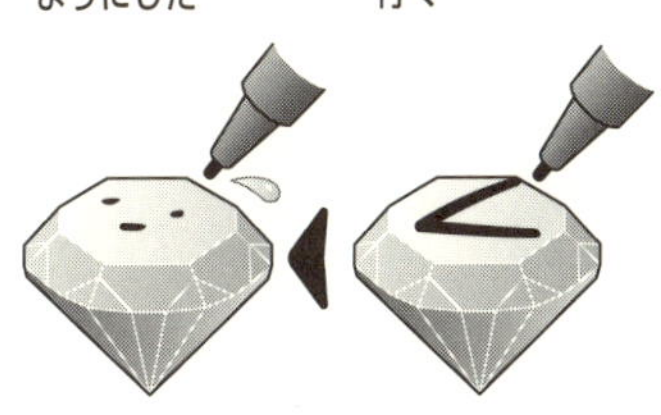

模造ダイヤ

テープを貼って、
印を付けた

油をはじくので
油性ペンで印が
付かない

の先を水でぬらすと、一時的にインクが出にくくなるって」

「だから本物のダイヤに印が付かなかったのかい！　それでヤツらは、まんまとニセモノを本物だと思いこんだ。なるほど、アタシもいっぱいくわされたよ！」

テツは笑顔になり、フンと鼻を鳴らした。

そのとき、健太が声をあげた。

「いや、でも、ちょっと待って！　そもそも、どうして真実くんは、1つ目のダイヤがニセモノで、2つ目のダイヤが本物だって知ってたの!?」

「黒腹が、ぼくの顔の前に2つのダイヤを突き付けたときにわかったんだ。そっと息を吹きかけてね」

「息を……？」と、健太とハマセンが顔を見合わせる。

「ダイヤは、『熱伝導率』という熱が伝わるスピードがとても速いんだ。息を吹きかけると表面が曇るけど、すぐにまわりの空気から熱を吸収して温度が上がるから、曇りが蒸発、つまり晴れるんだ。だけど、模造ダイヤは曇りが晴れるのに数秒かかる。それで、どっちが本物かわかったんだよ」

「そうだったのか～！　さすが真実くん！」

「たいした名探偵だ。誰かさんの代わりに、アタシの孫にしたいくらいだよ」

「それはないだろ、ばっちゃーん！」

ハマセンが情けない声をあげると、テツは真実にウインクしてみせた。

数日後、ニセモノのダイヤを宝石店に売ろうとした一味が逮捕された。

「このニュース、テツさんに知らせに行こうよ、真実くん！」

健太と真実は、テツの屋敷へと続く道を、元気よくかけだした。

「ダイヤの秘密をあばけ」終わり

ダイヤモンドはこんなにスゴイ

「宝石の王様」といわれるダイヤモンド。その名にふさわしく、ほかの宝石とは違う、特別な特徴がいくつもあります。

ダイヤモンドの原石
これを磨いて、カットして形を整えることで、キラキラ光るダイヤモンドになる。

硬い!

一般的な物質の中で、最も硬い。鉱物どうしをこすりあわせて、どちらが傷つくかを調べる「モース硬度」では、ダイヤモンドは最高クラスの「10」だ。

鉱物の硬さ(モース硬度)

硬度	基準の鉱物	
10	ダイヤモンド	鉱物の中で最も硬い
9	コランダム	ルビー・サファイアなど
8	トパーズ	鉄のやすりで傷がつかない
7	石英	石英は水晶のこと
6	正長石	カッターで傷がつかない
5	燐灰石	ふつうのガラスと同じぐらいの硬さ
4	蛍石	10円玉(銅)で傷がつかない
3	方解石	金・銀・銅と同じぐらいの硬さ
2	石膏	爪でなんとか傷をつけられる
1	滑石	爪でも簡単に傷がつく

ダイヤモンドとほかの宝石を袋の中にいっしょに入れておくと、ほかの宝石が傷ついてしまうよ

熱をよく伝える!

熱が伝わる速さ「熱伝導率」が高く、なんと鉄の10倍以上だ。

氷に刺さったダイヤモンドの板を手で持つと、すぐに手の熱が伝わって、氷が溶け始め、手を離すと、すぐに氷が溶けるのが止まる。

光をよく曲げる!

光を曲げる性質「屈折率」が高い。線を書いた上にダイヤモンドを置くと、下から来た光が曲がって目に入ってこなくなるので、線が見えなくなる。

光をよく曲げる性質を生かして、キラキラ光るように、このような形が考え出されたんだ。

ダイヤモンドと鉛筆の芯は同じもの!?

ダイヤモンドの成分は、実は鉛筆の芯（黒鉛）と同じ「炭素」なんだ。炭素に高い温度と圧力が加わると、結晶の構造が変わり、ダイヤモンドになるのだ。真っ黒な鉛筆の芯と、透明なダイヤモンドが同じものでできているなんて、とても不思議だね。

怪奇事件ファイル5

死霊の館でサバイバル

「ふあ〜、なんか、たいくつだなあ……」

放課後の6年2組の教室。宮下健太は、大アクビをしながら、つぶやいた。

このところ、事件らしい事件もなく、平和な日々が続いている。

……と、そこへ、「たいへん、たいへん！　誘拐事件よ！」と叫びながら、となりのクラスの青井美希が、かけこんできた。

「え、誘拐!?」

健太は驚き、うしろの席で帰りじたくをしていた謎野真実を振り返る。

誘拐と聞いて、真実も、ただごとではないと思ったようだ。

「どういうことなんだい？」と言いながら、こちらにやってくる。

「これを見て!!」

美希は、手にしたタブレットを突き出した。

そこには、美希が運営する「名探偵・謎野真実のお部屋」のホームページに届いた、犯人からのメッセージが映し出されていた。

《親愛なる謎野真実さま。あなたの友人を人質に取り、監禁しました。無事に返してほ

しければ、今夜8時、町はずれの『死霊の館』に来て、わたしの挑戦を受けてください。　謎解きゲームの招待主より》

「これって、いわゆる脅迫状よね？　真実くんの友人を人質に取ったって書いてあるけど、心当たりはある？」

「いや……ぼくが知る限り、友人といえるのは、きみたちしかいない」

真実は、そう答えたあと、眼鏡をクイッと持ち上げた。

「でも、いずれにせよ、放っておくわけにはいかない。美希さん、その死霊の館とやらに案内してくれるかい？」

死霊の館――そこは花森町のはずれにある、死霊がすむといううわさの廃屋だった。誰もいないはずの部屋に、影が横切った、不気味な声や物音を聞いた、などといった目撃談があとを絶たず、いわゆる心霊スポットとなっている。

真実、健太、美希の3人は、犯人の呼び出しに従い、死霊の館へとやってきた。時刻は午後8時。あたりは、すでに真っ暗だった。

FILE 0005

館の庭には、何やら、あまい香りがただよっている。

見ると、庭中に大輪の美しい白い花が咲いていた。

「この花、見たことない。何ていう花なの？」

健太が尋ねると、真実はサラリと答える。

「この花は『月下美人』といって、年に数回、夜にしか咲かない花なんだ」

3人は、館の中へと足を踏み入れた。


「ようこそ死霊の館へ。わたしはこの館のあるじ、謎解きゲームの招待主です」

扉を開けた瞬間、玄関ホールに、声が響き渡った。

ボイスチェンジャーで加工されたような、不自然な声だ。

玄関のすぐ横の壁には、館のあるじとおぼしき男性を描いた肖像画が飾られている。

声は、その絵の中から聞こえたように思えた。

「絵がしゃべった!?」

健太は、ギョッとする。

FILE 0005

「健太くん、違うわよ。よく見て」

美希が、肖像画の下を指さす。そこには、スピーカーが仕込まれていた。

見ると、玄関ホールには、監視カメラも備え付けられている。

「犯人は、ぼくたちのようすをカメラで監視しながら、スピーカーを通して話しかけているようだね」

真実がつぶやいたそのとき、スピーカーから、ふたたび声が聞こえてきた。

「ふふふ、そのとおりですよ、謎野真実さん。これからあなた方を、死霊たちが待ち受けるお部屋にご案内いたします。その正体を突き止め、すべての謎を解くことができたら、ご友人が監禁されているお部屋にたどり着けるでしょう」

「友人って、いったい誰なんだい？　ぼくには、心当たりがないんだけど」

真実は、カメラに向かって言った。

「それは……まあ、いずれわかることですよ。もっとも、あなたが、わたしの出す課題をすべてクリアできた場合に限りますけどね」

招待主は、「ふふふ」と笑い、さらに案内を続ける。

「まずは、この先のドアの向こうにある居間へ向かってください。……おっと、ドアを開ける際には気をつけてくださいね。死霊たちが興奮して襲いかかってこないとも限りませんから」

3人は、おそるおそる、玄関の先にある扉を開ける。

ギイイ……不気味な音を立てて、扉は開いた。

「うわあああっ!! お、おばけ!?」

部屋に足を踏み入れたとたん、健太は恐怖のあまり、気絶しそうになった。

その壁には、ゆらゆらとうごめく幽霊のような影が映っていたのだ。

「やっぱり……この館に死霊がすむといううわさは本当だったのね」

美希は、息をのみながらも、壁に映った影を撮ろうと、カメラを構える。

しかし、真実は、部屋に置かれたあるものを見て、幽霊の正体を見破った。

真実が見たものとは、部屋に置かれた水槽だった。

そこには水が張られ、水槽の背後から、向かいの壁に向かってライトが照らされてい

る。

よく見ると、水の中には、透明な細い糸でアメ玉がつるされていた。

「幽霊は、このアメ玉がつくりだした幻影さ」

「えっ、アメ玉!?」

「アメ玉って……なめるとあまい、あのアメのことよね?」

真実の言葉に、健太も美希も目を丸くする。

「そう。水に砂糖などの物質が溶けると密度が変わる。密度が変わると、光の曲がり方も変わる。場所によって密度が違うから、そこを通る光も不規則に曲がる。これが、白い壁に映ると、幽霊のような、うごめく影となるんだ」

真実が謎を解き明かす。

「えっ、そういうこと? はあ、よかった、死霊じゃなかったんだ……」

健太は、ホッと息をついた。

そのとき、部屋に備え付けられたスピーカーから招待主の声が聞こえてきた。

「よくぞ見破りましたね。まあ、この程度の謎、名探偵のあなたにとっては、朝飯前でしょうね。では、ご案内いたします。次のお部屋は、廊下を右に曲がった、突き当たりです」

真実たちは、次のステージへと進んでいった。

次の部屋は、どうやら食堂のようだ。

古びた洋館にふさわしく、天井からシャンデリアが下がり、部屋の中央には、大正ロマンを感じさせるレトロな長テーブルが置かれている。

テーブルの上には燭台（ろうそく台）が置かれ、ナイフ、フォーク、食器などが、何人分も用意されているが、部屋には誰の姿もない。

しかし、それにもかかわらず、皿の横に置かれたフォークだけが、なぜか小刻みに震え、ビビビビ……と、不気味な音を立てていた。

「ポルターガイスト!?」

美希は、真っ青になった。震える手でカメラを構え、シャッターを切る。

「あのテーブルには、目に見えない人間が何人も座っていて、フォークを揺らしているんだ！」

健太も、恐怖におののきながら叫んだ。

だが、真実だけは冷静な顔で、震えるフォークをじっと見つめている。

「……いや、これは科学で説明がつくことさ」

真実は、すぐにポルターガイストの正体を見破った。

真実が、震えて音を立てているフォークの１つを手に取る。

するとその下から、薄く小さな白いかけらが現れた。

「フォークの下には、ドライアイスが置かれていたのさ」

「えっ、ドライアイス⁉」

健太は驚く。

「ドライアイスは、二酸化炭素が冷えて固体になったものだ」

真実は、解説を始めた。

「水は温度が上がるにつれ、固体から液体、液体から気体へと変化するけれど、二酸化炭素は、固体からいきなり気体になる。これはポルターガイストでも何でもない。二酸

化炭素の特性を生かしたトリックさ」

「ええと……それって、つまり、どういうこと?」

首をかしげる美希に、真実は、さらに詳しい説明をする。

「固体であるドライアイスの上にフォークを置くと、フォークが触れた部分のドライアイスの温度が上がって、瞬間的に二酸化炭素の気体になる。固体のときより体積がぐんと増えるので、この気体は、一瞬、フォークを押し上げる。しかし、すぐにフォークとドライアイスのあいだから逃げる」

「そっか。そのとき、フォークが下に落ちて、ドライアイスとぶつかるから、ビビビビ……って、音が出るというわけなのね」

「そう。そして、その一連の動きが、とても速いスピードで繰り返されるので、フォークが音を立てながら、震えているように見えるのさ」

真実の解説に、美希も納得したようだ。

「なんだ、そうとわかれば怖くないや」と、健太も余裕の笑みを見せる。

そのとき、スピーカーから招待主の声が聞こえてきた。

「ふふ、どうやら、このお部屋の謎も見破ったようですね。次のステージは、となりのお部屋にあります。……ほら、聞こえるでしょう？　死霊のすすり泣く声が……。この世に未練を残した魂は、今も館の中をさまよっているのですよ」

3人が耳をすますと、確かに、すすり泣く声がかすかに聞こえていた。

廊下に出た3人は、となりの部屋の扉を開ける。

どうやら、そこはキッチンのようだ。部屋に足を踏み入れると、すすり泣く声は、一段と大きくなる。それは、幼い少女の声だった。

すると、美希が、思い出したように言った。

「うわさでは、この館で、よく幼い女の子の霊も目撃されているそうよ」

健太は、ゾッとして、思わず悲鳴をあげそうになった。

「ううう……ううう……」

すすり泣く声はキッチン中に響き渡っていた。

声はするが姿は見えない。

（やっぱり、霊なのかな。けど、小さな女の子だし……。あんなふうに泣いているなんて、きっと何か悲しいことがあったんだよね）

「ねえ、きみ、どうして泣いてるの？」

健太は、おそるおそる声をかけた。すると、少女は答える。

「ううう、わたしの風船、もとに戻して……」

「ふ……風船？」

よく見ると、キッチンの床には、少しだけ空気が入っているが、ほとんどしぼんでしまった風船が落ちていた。

「健太くん、この風船に息を吹きこんで、ふくらませてあげればいいんじゃない？」

風船を拾った美希が、それを健太に差し出しながら言う。

「なんだ、それなら簡単じゃないか」

健太は、さっそく風船に息を吹きこもうとした。しかし……。

「あれ？　……ダメだ。口をしばったところが接着剤で固められてて、ほどけないや」

「ううう……ううう……」

少女の泣き声が、一段と激しくなる。

「いやだ、いやだよ。風船、ふくらませてくれなきゃ……お兄ちゃんたち、生きてこのお部屋から出られないよ」

「ええっ⁉」

健太と美希は、恐怖に凍りつく。

そのとき、無言でなりゆきを見守っていた真実が、口を開いた。

「しばっているところをほどかなくても、風船をふくらませることはできるさ」

「え、どうやって？」と、健太は問い返す。

「たとえば、袋を開けていないお菓子を山に持っていったとき、山頂で袋がふくらんでいることがあるだろう？　あれと同じことをすればいいのさ」

そして、真実は、さらに言った。

「このキッチンの中にある、ある器具を使えば、口の閉じた風船をふくらませることができる」

はたして、その器具とは次のうちのどれだろう？

炊飯器（すいはんき）

電子（でんし）レンジ

真空保存容器（しんくうほぞんようき）

「正解は、これさ」

真実が選んだのは、真空保存容器だった。

「健太くん、この容器にしぼんだ風船を入れて、空気を抜いてくれないか」

真実に促されて、健太は言われたとおりに風船を真空保存容器に入れた。そして、ポンプを使って容器の中の空気を抜く。すると……。

「わあ、風船がふくらんだ！」

健太は目を丸くする。

「ふくらんだのは、容器の中の空気を抜くことで、風船のまわりの空気が薄くなり、その分、風船の中の空気が外に向かって広がったからなんだ」

　真実が説明する。すると、美希もうなずいた。

「なるほど。山頂でお菓子の袋がふくらむのも、標高の高い場所は、ふもとより空気が薄いからなのね」

　そのとき、謎解きゲームの招待主の声が言った。

「ふふ、謎野真実さん、さすがです。正解したあなたには、ごほうびを差し上げましょう。戸棚の中をのぞいてみてください」

　真実が戸棚を開けると、そこには鍵があった。

空気を抜く前

風船のまわりの空気と中の空気の濃さは同じで、空気が押し合う力がつり合っている

空気を抜くと…

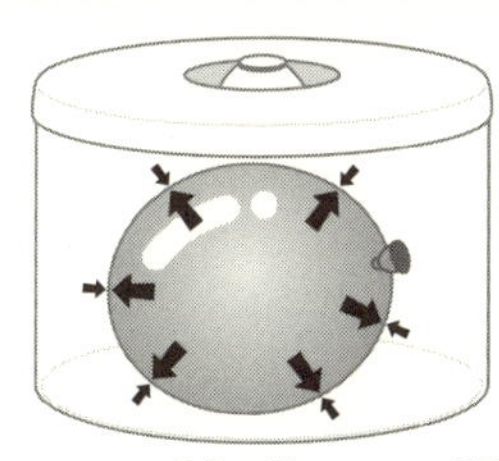

風船のまわりの空気が薄くなると、風船を押す力が弱くなり、その分、風船がふくらむ

招待主の声が告げる。

「それは、あなたの友人が監禁されているお部屋の鍵です。この館を捜せば、見つけることができるでしょう」

真実たちは、館の中を順番に捜し、ある部屋へとたどり着いた。手に入れた鍵で扉を開けると、そこには、ハイテンション・アガルの姿があった。

アガルは、動画サイト「I Tube」の人気アイチューバー。「廃病院」の事件では、真実に頼まれ、ヤラセ・アイチューバーたちのトリックを暴いた動画を世間に拡散するなど、3人とは何かと関わりがある。

人質に取られた「友人」とは、アガルのことだったのだ。

「いやあ、助かったア。謎野真実くん、まさかきみたちが助けに来てくれるとは思わなかったヨ~。ありがと。サンキューだネ~!」

いつもの軽い口調で、アガルは、真実たちに礼を言った。

真実が、監禁されたいきさつを尋ねると、アガルは答える。

「今日の昼、きれいな白い花が咲いているのを見て、撮影しようと、館の庭に足を踏み入れたんだ。そしたら、突然、サングラスに黒服の2人組の男が現れて、ボク、捕まっちゃったんだよネ〜」

アガルの証言を聞いて、真実は眼鏡の奥の目を光らせ、こう言った。

「アガルさん、あなたの言っていることは、おかしい」

「えっ？　おかしいって、なんでなんで〜？」

アガルは、真実に食い下がった。

「アガルさん、あなたは、今日の昼間に、この館の庭に足を踏み入れたと言いましたよね？」

「うん、言ったよ。あれは、確か……昼の2時ごろだったかナ〜？」

「そのとき、庭に白い花が咲いていた――と？」

「うんうん。謎野くん、きみたちも見たよね？　何ていう花かは知らないけど、エキゾチックで、すっごくきれいな花じゃん？」

真実は、アガルの目をじっと見る。

FILE 0005

「え？　え？　え？　真実くん、なに、その目？　ボク、なんかヘンなこと言った？」

「あれは月下美人といって、夜にしか咲かない花なんです」

「ええっ、そうだったのオ〜!?」

「昼の2時にこの館に来たあなたが、月下美人が咲いているところを目にしたはずはない。アガルさん、あなたがこの館に来たのは、本当は昨日の夜だったんじゃないですか？」

「あ、ああ、まあ……スピーカーやカメラを取り付けたり、テストしたり、いろいろと準備がたいへんだったからネ〜」

アガルは、観念したのか、すべてが自作自演だったことを白状した。

「えっ、それって、つまり……誘拐された被害者のアガルさんが、じつは犯人で、謎解きゲームの招待主だったってこと？」

驚いて尋ねる健太に、アガルは悪びれるようすもなく、言い返した。

「ピンポーン♪　そのとおり！　ボクさぁ、招待主のほかにも、幽霊少女とか、1人で3役もやって、たいへんだったんだよネ〜」

あきれて、ものも言えない3人を前に、アガルは軽い口調でしゃべり続ける。

「どうしてこんなことをしたかって？　決まってるじゃん。それはね、大切な友人が『誘拐された』っていう臨場感の中で、謎野くんが次々と謎を解き明かしていく姿を動画に撮りたかったからサ～。……あ、でもこれ、ヤラセじゃないよ？　ドッキリ的な演出っていうの？　つまり、何ていうか、その……」

「……って、結局はヤラセじゃない!!」

激怒する美希に、アガルはハエのポーズのように手をこすり合わせながら、「ごめーん」と謝る。

そんなアガルの姿を見て、真実と健太は、「やれやれ……」と、肩をすくめるのだった。

「死霊の館でサバイバル」終わり

気圧のマジック

空気は透明で目に見えず、当たり前にあるものなので、ふだん意識することはないかもしれません。しかし、わたしたちの体にはいつも、地上から宇宙空間までの空気がのしかかっています。その重さは、１辺10センチメートルの正方形の大きさあたり、約１００キログラムもあります。

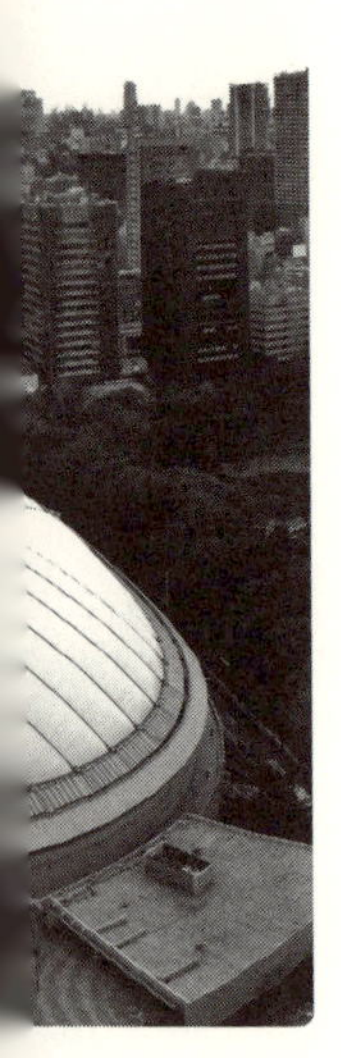

人間の呼吸にも空気の圧力が関わっている!

「解決編」で真空保存容器を使って風船をふくらませる方法を紹介したが、人間の肺も同じようなしくみで動いている。風船を肺に模した模型で、呼吸のしくみを見てみよう。

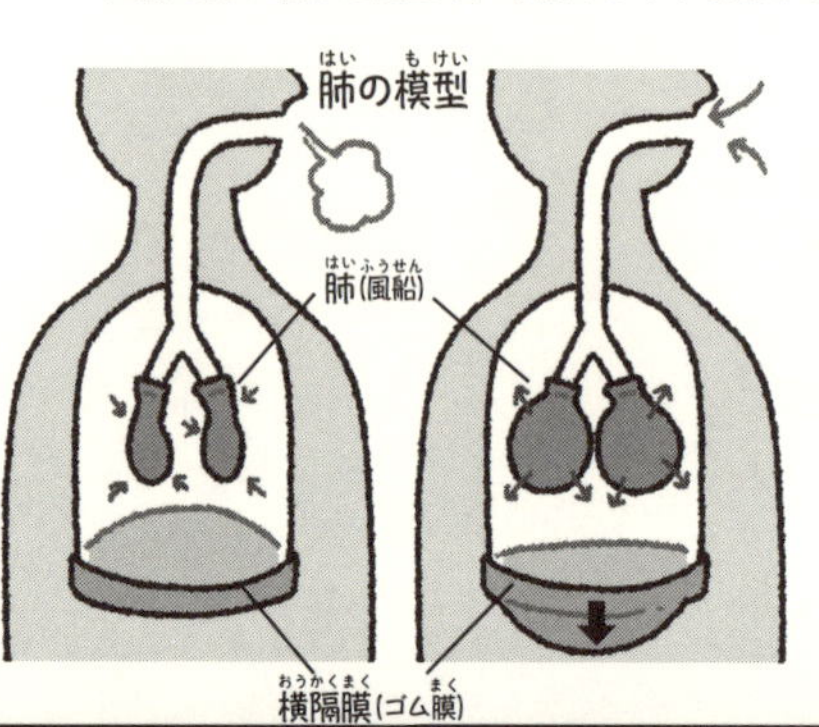

空気を吐く
横隔膜などの筋肉がゆるむと、肺のふくらみがもとに戻り、肺の中の空気が外に出ていく。

空気を吸う
横隔膜などの筋肉のはたらきで、胸の中が広がり、圧力が下がる。その分、肺がふくらんで、空気が取り込まれる。

FILE 05

びっくり!
空気のパワー!

東京ドームの屋根は400トンもあるが、この重い屋根を支えているのも空気の力だ。ドーム内の気圧を外よりも高くして、内側から屋根を押す空気の力を生み出し、屋根を支えている。ドーム内と外の気圧差はわずか0.3%。ビルの1階と9階の気圧差と同じぐらいなので、人体には、ほとんど違いは感じられない。

ほんの少しの気圧の差で、大きな力を生み出すことができるんだ

気圧の低い場所では、水は100℃以下で沸騰する

地上では水は100℃で沸騰するが、富士山の山頂では、約87℃で沸騰する。これは、地上より気圧が低いためだ。

沸騰とは、液体中の気泡が、液面を押す空気の力に打ち勝って、外に出ていくこと。山頂では、水面を押す空気の力が地上より弱くなるので、水中の空気の泡が出ていきやすくなる、つまり沸騰しやすくなるのだ。

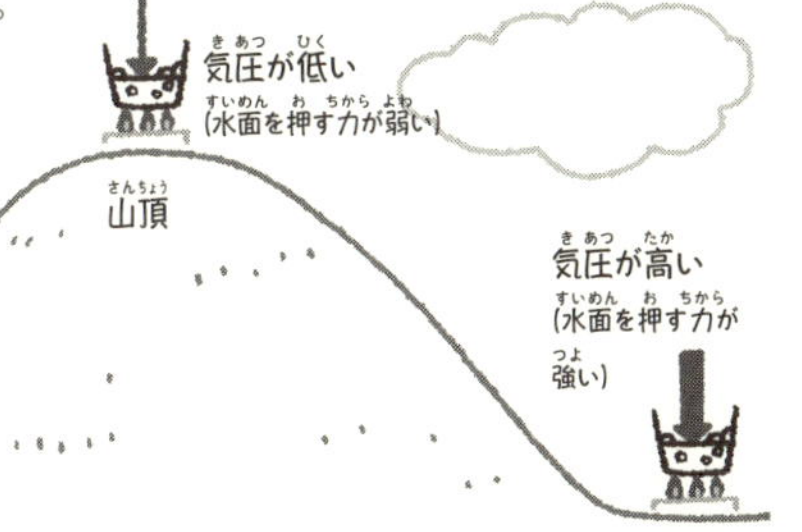

怪奇事件ファイル 6

悪霊にたたられた村

「ねえ見て、真実くん！　すごくきれいだよ！」

雪深い山道を走るバスの窓に顔を押し当て、宮下健太が歓声をあげた。

氷におおわれた大きなダム湖が、キラキラと日の光を反射している。

「今日の午後にはダムの放流もありますよ。みんなで見にいきませんか？」

杉田ハジメの言葉に、青井美希と謎野真実がうなずく。

ハジメは、健太たちのクラスの学級委員長。そのマジメすぎる性格から、陰で「マジメスギ」というあだ名で呼ばれている。

そんなマジメスギから、美希が運営するホームページ「名探偵・謎野真実のお部屋」にメッセージが届いたのは、数日前のことだった。

「たくさんの事件を解決して、みなさん、さぞお疲れのことでしょう。ワタシのママの故郷の村に招待するので、ぜひ息抜きしてください」

そうして真実たち3人は、マジメスギと山奥へ向かうバスに乗ったのだった。

「次は『多田里村』。お降りの方はお知らせください」

「ああ、ようやく次ですよ」

アナウンスを聞いたマジメスギが降車ボタンを押すと、バスは急停車した。

振り向いた運転手が声を震わせて言う。

「あんたら、あの村に行くのか？　……あの村では停まれない。ここで降りてくれ！」

雪道に4人を降ろすと、バスは逃げるように去っていった。

「どういうこと？　杉田くん、何か隠してない？」

美希が尋ねると、マジメスギはこわばった顔で笑った。

「いやだなあ、何も隠してませんよ。村はすぐそこです。楽しみだなあ～」


村には人の気配がなく、シーンと静まり返っていた。

わらぶき屋根の、大きな日本家屋に着くと、マジメスギの祖父であり、村の長、杉田源三が姿を現した。

源三はマジメスギを見ると、目を見開き、息をのんだ。

「……ハジメ!?　この村には来るなと、おまえの母さんに言ってあっただろう」

「ワタシ……この村を、一度自分の目で見てみたかったんです！」

「ええっ⁉　杉田くん、この村に来るの、初めてなの⁉」

健太が驚きの声をあげる。

「近寄ってはならぬ。ここは恐ろしい場所……悪霊にたたられておるのじゃ」

そのとき――。

ガタガタガタ！

家中のガラス窓が音を立てて震えはじめた。

「わわわ……ママが言ってたとおりだ！」

おびえるマジメスギ。

健太は、真実の背中に隠れるようにして窓の外を見たが、風は吹いていない。

「どうなってるの、これ⁉」

「悪霊のたたりじゃ！」

源三がそう言うと、真実は源三の顔をじっと見つめた。

「悪霊のたたり？　それはいったいどういうことですか？」

「……30年前のことじゃ。よそ者が、村のおきてを破って山でキャンプをしてな。それが原因で山火事が起きた。そして、その炎に村の母親と娘が包まれてしまったんじゃ。それ山には2人の泣き声が響いたが、燃えさかる炎に誰も近づくことはできなかった。それ以来……村には不気味な出来事が、たびたび起きるようになった。特に、おまえさんらのような、よそ者が村に来た日にはな」

ガタガタガタッ！

ガラスの震えが一段と激しくなった。

「うわ～～っ！」

健太とマジメスギは、2人そろって真実にヒシッとしがみついた。

「いつもそうじゃ……村中の家のガラスが同時に震えだす。霊が怒っているんじゃ。よそ者は帰れと告げているんじゃよ」

「ひい～！　こんなところ、もういやだよ～！　真実くん、早く帰ろうよ～！」

健太が情けない声をあげると、真実は静かに首を振った。

「悪いけど、たたりなんて非科学的なものは、ぼくは信じない」

「たたりを信じないじゃと……？」

源三のまゆがピクリと動いた。

「でも謎野くん、こんな不思議な現象、たたりのほかに説明できませんよ⁉」

震える声でマジメスギが叫ぶと、真実は窓の外へ視線を向けた。

「いや。ぼくにはもう答えが見えているよ」

「ええっ⁉」

真実の言葉に驚く健太たち。

「ガラスを震わせている原因は、ぼくたちが村に来るまでに見たものだよ。今から答えを見せよう。美希さん、タブレットを借りてもいいかい？」

真実は、美希からタブレットを受け取ると、電源を入れた。

「このたたりの答えがわかったじゃと……⁉」

源三は、タブレットを操作する真実を見つめてつぶやいた。

「やっぱりそうだ。これです、見てください」

真実は、みんなにタブレットの画面を向けた。

そこには、村に来る途中、バスの窓から見たダムの、ライブカメラの映像が映ってい

多田里村ダム 北カメラ

た。ダムから勢いよく水が放流されている。

「村にあるダムの今のようすです。水の放流が始まった時間と、家の窓ガラスが揺れはじめた時間がほぼ一致する」

「ダムと窓ガラス、いったい何の関係があるの？」

思わず健太が声をあげた。

美希とマジメスギも首をひねっている。

「ダムの放流で発生した『低周波』が、ガラス窓を揺らしているんだよ」

「低周波じゃと……？」

「人間の耳には聞こえない低い音のことです。音は、波のように空気を揺らして伝わります。ダムの放流で発生した、耳には聞こえない低周波が周囲に広がり、家の窓ガラスを揺らす。各地で報告されている現象です」

「ということは……、たたりじゃなかったんですね！」

マジメスギがホッと息をつく。

しかし、源三の表情は曇ったままだった。

「おまえたちは、まだ、この村の本当の恐ろしさを知らんのじゃ」

「ほかにも不思議な現象が起きるんですね？」

真実の問いかけに、源三はゆっくりとうなずく。

「自然の恵みをもたらす山もたたられておる。山火事が起きた森の奥に、亡くなった女の子が遊んでいたブランコがあってのう。そのブランコが、真夜中になると、ひとりでに揺れはじめるというんじゃ。山火事があった冬の時期には、女の子の泣き声が森に響くともいう」

「揺れるブランコを見た人はいるんですか？」

真実が聞くと、源三は目を閉じ、重々しく告げた。

「ああ、おる。だが、揺れるブランコを見た者はみな、原因不明の病気になり、死んでしまった。ハジメ、今すぐ村を出ろ。母さんに心配をかけるな」

マジメスギはゴクリとつばをのみこむと、震える手をギュッと握った。

「いくらおじいさまの命令でも帰りません！　この村が大好きなママのためにも、たたりなんてないことを、謎野くんといっしょに証明してみせます！」

真実たちは、真夜中の森にブランコを調べにいくことにした。

懐中電灯を片手に進みながら、マジメスギが弱々しい声で言う。

「……本当のことを隠していて、すみませんでした。でも、謎野くんたちなら、この村のたたりの謎を解いてくれるかもしれない。そうすれば、ママももう一度、生まれ育ったこの村に帰ってこられるかもしれないって思ったんです」

そのとき、ハッと美希が立ち止まった。

「何か聞こえない……？」

……わぁあああん……わぁあああああん
耳をすますと、かすかだが、森の奥から不気味な声が響いてくる。

「もしかして、山火事で亡くなった女の子の泣き声……!?」

健太はゾッとして身がすくんだ。

真実は表情を変えずに、暗闇に包まれた森の木々を見渡している。

「向こうだ。奥に進もう」

やがて、森の中に開けた場所が現れた。

「あっ、あれを見て！」

健太が指さした先に、ポツンと、ブランコがつるされていた。

チェーンも板も真っ黒に焼けこげ、不気味な雰囲気をただよわせている。

「あれが、ひとりでに揺れるというブランコですか……？」

マジメスギが、おそるおそるつぶやいた瞬間……。

ギイイ……ギイイ……

なんと、風もないのに、ブランコが静かに揺れはじめたのである。

「うわあ、動きだした！」

健太は、自分の目を疑った。

ギイイイイ……ギイイイイ……

ブランコの揺れは、次第に大きくなっていく。

まるで、姿の見えない少女がこいでいるかのように。

……わぁあああん……わぁああああああん

不気味な声が、あたりを包みこむ。

「ひゃあ、たたりだぁ～！　助けてえ～！」

マジメスギは顔色を変えて、逃げだした。

「待ってよ、杉田くん！　1人で行かないで！」

健太、真実、美希の3人は、マジメスギのあとを追ってその場を去った。

「う～ん……、う～ん……」

森から逃げ帰った翌朝、マジメスギは寝こんでしまった。

源三が呼んだ村の医者は、診察を終えると首を振った。

「間違いない、こいつはたたり病だよ」

「やはりそうじゃったか……」

ようすを見つめる健太の脳裏に、源三から聞いた話が浮かんだ。

(森の中で揺れるブランコを見た者は、原因不明の病気で死んでしまう)

「どうしよう、真実くん、美希ちゃん。このままじゃ杉田くんは……」

顔を見合わせる健太たちに、源三が言った。

「助かる道はある。今すぐ4人でこの村を出るんじゃ。そして二度と、この村に近づいてはならん。たたりの恐ろしさを、みなによく伝えるのじゃ」

真実は、何か言いたそうなようすで源三の顔を見つめている。

しかし、先に口を開いたのは美希だった。

「今は謎を解くより、杉田くんの体が心配よ。この村を出ましょう」

「わかった……。帰りのしたくをしよう」

真実はうなずいた。


客間に戻った真実、健太、美希が荷物の整理をしていると……。

マジメスギのカバンから、あるものがハラリと落ちた。

「真実くん、これを見て！」

それは古い新聞記事だった。

30年前に起きた、村の山火事について報じられている。

「村を訪れた観光客の火の不始末が原因で、多田里村の森の大部分が焼失。しかし、幸いなことに、ケガ人はなし」

美希が記事を読みあげると、健太はハッとした。

「ケガ人はなし!?　あれ？　村で暮らす母親と女の子が亡くなったんじゃないの!?」

健太と目を合わせ、真実はうなずいた。

「もし誰も亡くなっていないなら……たたりはつくり話ということになる」

「でも、いったい誰が、何のために!?」

美希は腕を組んで考えたが、答えは出ない。

真実は、２人の顔を真っすぐ見つめて言った。

「もう一度、森に行ってみよう。きっと答えがあるはずだ」

真実、健太、美希の３人は、ふたたび森の奥深くへやってきた。

木々のあいだに、黒く焼けこげたブランコがつるされている。

「もしも、30年前の山火事で誰も亡くなっていないとしたら……、ゆうべ、ひとりでに揺れたブランコも、たたりなんかじゃなかったってことだよね？」

健太が聞くと、真実は、ブランコを見上げてうなずいた。

「ああ。どこかに謎を解く鍵があるはずだ」

ブランコは、頭の上にはられた鉄のワイヤーに取り付けられている。

よく見ると、そのワイヤーは枝のあいだをすりぬけ、遠くまで延びていた。

「やっぱりそうか……」

ワイヤーを追った真実は、30メートルほど離れた木の陰であるものを見つけた。それは……2つ目のブランコだった。

大きさも、チェーンの長さも、1つ目のブランコと同じもののようだ。

「見つけたよ。たたりの正体は『振り子』を利用したものだったんだ」

「振り子？」

健太と美希は、顔を見合わせた。

「振り子には、おもしろい性質があってね。1本の棒に、ひもの長さが同じ2つの振り子をつけて、片方を揺らすと、止まっていたもう片方の振り子も同じように揺れはじめるんだ。見ていてごらん」

そう言うと真実は、２つ目のブランコを大きく揺らした。

「このブランコの振動が、ワイヤーを通して、もう1つのブランコに伝わって……」

ギイイイ……ギイイイ……

なんと、止まっていた1つ目のブランコが、揺れはじめたのである。

「そっか！　ゆうべ誰かが、この２つ目のブランコを揺らしたのね。だから、わたしたちが見ていたブランコも揺れはじめた……」

「でも、いったい誰が、そんなことしたんだろ

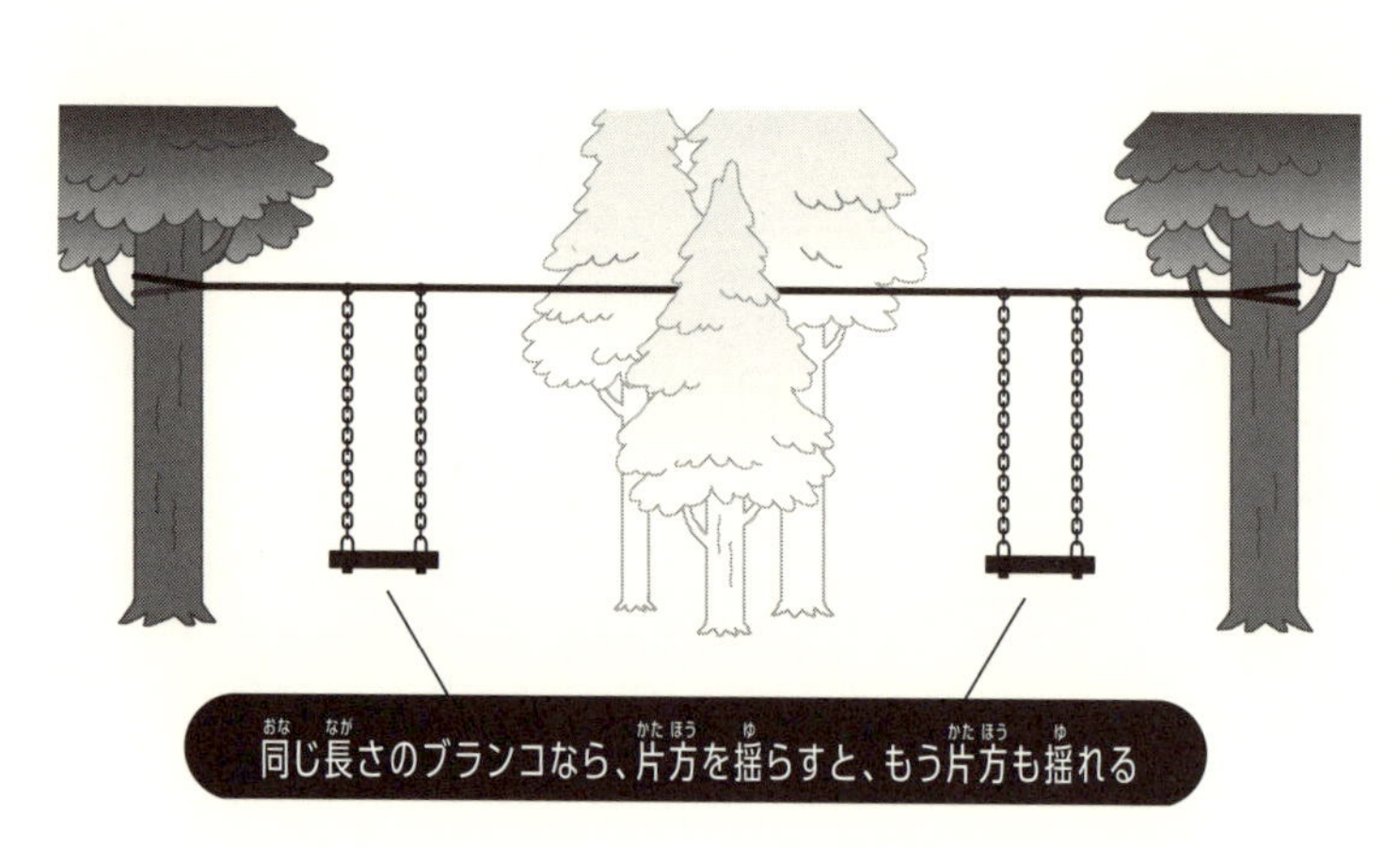

う？」

健太がつぶやいたそのとき、不気味な泣き声が森に響いた。

……わぁあああん……わぁああああん

「ひゃあっ！　やっぱり、本物のたたりなんじゃない⁉」

あわてて真実の背中に隠れる健太に真実が言う。

「科学で解けないナゾはない。あの音は冬に起きる自然現象さ。ダム湖の『あるもの』が、ぶつかりあっている音だよ」

はたして、森に響く「泣き声」の正体とは？

森の中にいた真実・健太・美希の3人は、音のするほうへさらに進んだ。すると突然、パッと視界が開けた。眼下に大きなダム湖が一望できる。

……わぁあああん……わぁあああああん

不思議な音は、氷におおわれた湖から聞こえるようだった。

「もしかして、氷がぶつかる音!?」

美希が言うと、真実はほほえんだ。

「そう。氷と氷がぶつかって、まるで泣いているような音が出るんだ」

白い氷におおわれた湖と緑の山々に見とれ、思わず健太がつぶやく。

「うわ〜、きれいだなあ〜」

「そうじゃろう」

その声に振り向くと、源三と、村人たちの姿があった。

「美しいこの村を……この自然を、これ以上壊されたくなかったんじゃ」

「だから、村の人みんなで、たたりの話を考えたんですね」

真実の言葉に、源三がうなずいた。

「ああ。よそ者を遠ざけるためじゃ。ダムがつくられ、しばらくすると村の家々のガラス窓が震えだすようになった。原因は低周波だとわかったが、たたりのせいだということにしたんじゃ」

「さらに、実際にはいない母と娘の話をつくって広めたんですね。そして、振り子の法則を利用してブランコを揺らし、たたりがあるように見せかけた」

「効果てきめんじゃったよ。よそ者は誰も村に寄り付かなくなった」

「おじいさま！　そんなの間違ってます！」

突然の声に振り向くと、医者に付き添われたマジメスギが立っていた。

「ハジメ……、だいじょうぶなのか？」

「ハジメくんは、本当はちょっと疲れが出ただけだ。心配ないよ」

医者の言葉をさえぎるように、マジメスギは身を乗り出した。

「ママは、いつも村の話をしてくれました。ワタシだって、もっと早くこの村に来たかった……。村人以外にもこの村を大切に思う人たちがいるはずです！」

源三はしばらく黙っていたが、やがて顔を上げた。

「……わしらの考えが間違っていたのかもしれん。これからは、みんなでこの景色を守っていく方法を考えていかなくてはならんのかもな」

日の光を浴びて、湖の氷がキラキラと輝いた。

そのようすを、真実はほほえんで見つめていた。

「悪霊にたたられた村」終わり

振り子の奇妙な性質

お話の中で紹介した、同じ長さのブランコがいっしょに揺れだす現象は、振り子の性質を利用したものでした。

振り子には、ほかにもおもしろい性質がたくさんあります。

短い振り子は、はやく揺れる

振り子時計やメトロノームも、振り子の等時性を利用したものだ。

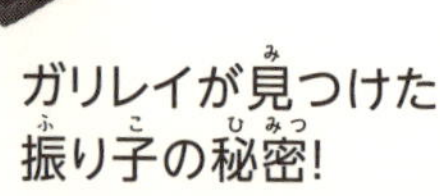

ガリレイが見つけた振り子の秘密!

16世紀の科学者、ガリレオ・ガリレイは、大聖堂にあるランプが揺れているのを見て、揺れる幅が大きくても小さくても、1往復する時間（周期）は変わらないことに気がつきました。これを、「振り子の等時性」といいます。

※ただし、振り子の等時性は振り幅が大きくなりすぎると成り立たなくなる。

FILE 06

揺れる周期は振り子の長さで決まる!

長さが同じなら、おもりが重くても軽くても、関係ない。

揺れが引っ越しする!(共振) でも、全体の揺れる量は変わらない!

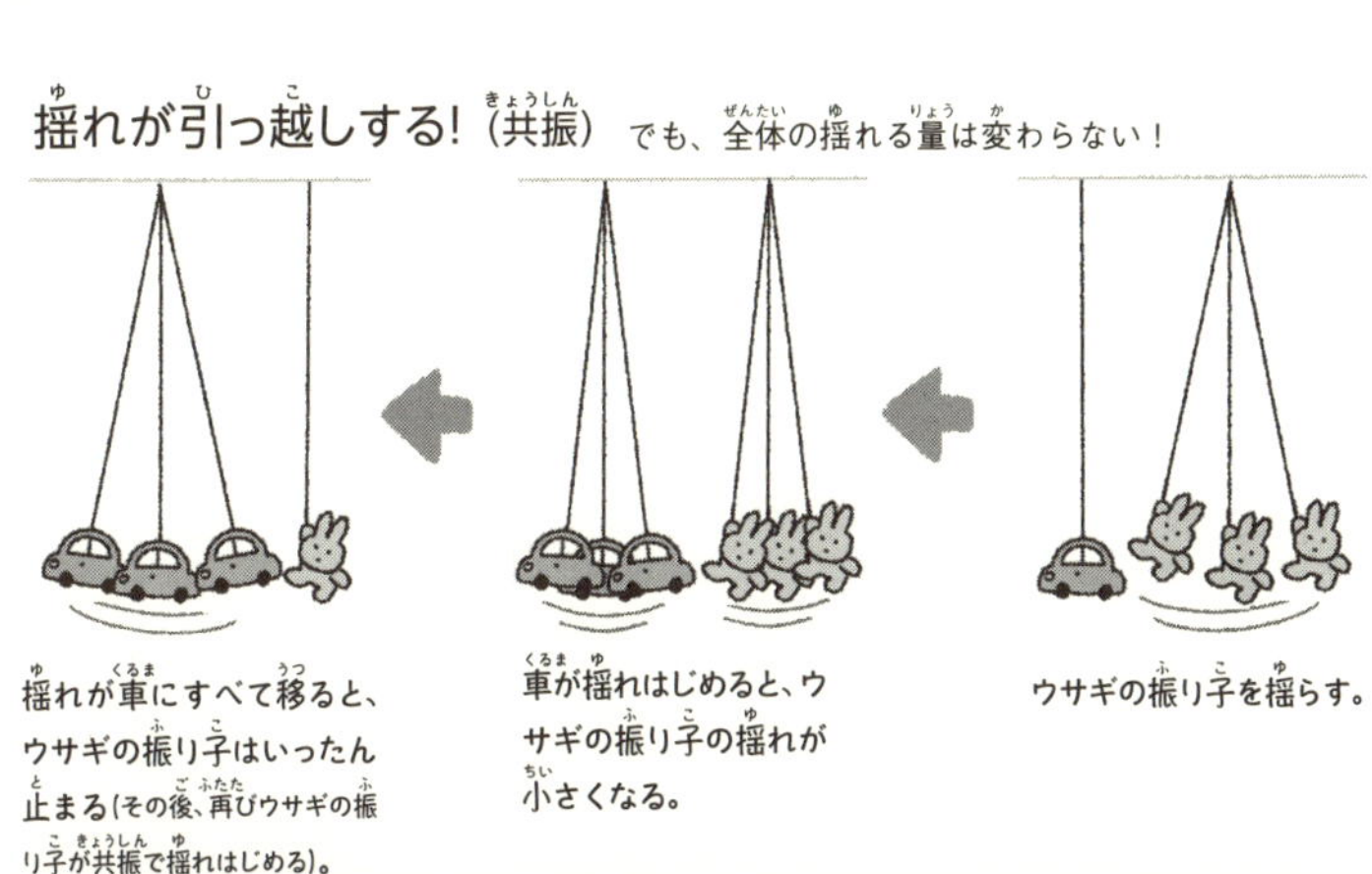

怪奇事件ファイル 7

催眠術師・平田少年

「真実くん、健太くん、事件よ！」

ここは、花森小学校、6年2組の教室。昼休み、ほとんどの児童が校庭に遊びにいって静かになった教室に、例によって青井美希が、騒々しくかけこんできた。

「うちのクラスの平田並男くんっていう子が、突然、催眠術を使えるようになったって言いだしたの！　これから、クラスの子に催眠術をかけまくるって！」

「えっ、催眠術!?」

校庭に行こうとしていた宮下健太は興味津々で、美希の話に身を乗り出す。

すると、謎野真実も、読んでいた本から目を上げた。

「ぼくは、催眠には興味があるよ。催眠とは、暗示を受けやすい意識状態の1つだ。その状態に人を導き、暗示によって思考や行動をあやつる技術は、病気の治療や精神医学の研究などにも応用されている」

「じゃあ、その平田くんって子は、ホントに催眠術を使えるの!?」

健太は、ワクワクしながら尋ねた。

「さあ、それはどうかな」

真実は、口元に手を当てて答える。

「人を催眠状態にするには、専門的な知識と訓練が必要だそうだよ。舞台などでショーとしておこなわれているような催眠術は、ほとんどがニセモノだと思うけどね」

「とにかく来て！　本物かどうかは、その目で見てもらえればわかるから！」

美希は、真実と健太を自分のクラスへと引っ張っていった。


3人が、となりの6年1組の教室に入ると、黒板にデカデカと書かれた「平田並男催眠術ショー」の文字が目に飛びこんできた。黒板の前に立っているのは、マント姿で、舞踏会のような仮面をつけた1人の少年――。

（あの衣装、テレビでよく見る催眠術師にそっくりだ。……ってことは、この子が催眠術を使えると言っている平田くん？）

健太は、目をみはる。1組の児童たちは、ほとんどが教室に残り、平田少年を囲んで騒然としていた。

「え～、みんな静かに。今から催眠術を見せるよ。実験台になってもいいという人は手

ひらたなみお
平田並男
さいみんじゅつ
催眠術ショ

を挙げてくれるかい？」

平田少年の呼びかけに、集まった児童たちは、いっせいに手を挙げる。

「えっ、みんな!? ……わかった。じゃあ、この場にいる全員に催眠術をかけることにしよう」

（ぜ、全員に!? じゃあ、ぼくも催眠術にかけられるの!?）

健太はドキドキする。平田少年は続けた。

「みんな、ボクの言うとおりにやってみて。両手を合わせて握って、両方の人差し指だけをピンとまっすぐ伸ばす。このとき、人差し指と人差し指のあいだが離れるようにしてね」

一同は、平田少年の言うとおりに、両手を合わせて人差し指を立てた。健太と美希も参加し、みんなと同じようにする。

「催眠術にかかると、両方の人差し指が、ひとりでにくっついてしまうんだ。みんなは肩の力を抜いて、目をつぶって……。じゃあ、行くよ。3、2、1……ハイ！」

かけ声をかけながら、平田少年は両手をかざし、念を送るようなしぐさをした。

すると……。

「わあ、くっついた!」

健太は、目を開けて自分の指先を見て、びっくりする。

「わたしもくっついたわ!」

そのとなりで美希も、驚きの声をあげた。

教室のほうぼうで、「わあ、ホントだ!」「くっついた!」という声があがる。

児童たちは、大騒ぎしながら、盛りあがった。

「どうだ、見たか? ボクの催眠術、スゴイだろ!」

平田少年は、得意げに言った。

「うん、すごいや!」

健太は素直に感心したが、美希は少し疑わしげにつぶやく。

「でも、これって、ホントに催眠術?」

すると、真実は、首を振った。

「いや、これは催眠術でも何でもない。学芸会レベルのトリックさ」

（え、トリック？　でも、自然に指が寄っていって、ひとりでにくっついたのに……）

真実は、両方の人差し指がくっついた理由を説明する。

「人間の手は、少し曲がった状態が、自然な状態なんだ。指をピンと伸ばしていると、しだいに筋肉が疲れてきて、もとの少し曲がった状態に戻ってしまう。人差し指どうしが自然にくっついたのは、つまり、そういうわけさ」

「え〜？　そういうことだったのお？」

「なんだよ〜。それならべつに、催眠術でも何でもないじゃん」

その場にいた児童たちは、いっせいに不満をもらす。

美希も、溜め息をつきながら言った。

「やっぱりね。催眠術ができるなんて、ヘンだと思ったんだ」

平田少年は、ムッとした表情で言い返す。

「なに言ってんだい！　ボクの催眠術はホンモノだぞ！　疑うんなら、青井さん、今度はキミに催眠術をかけてみせるよ！」

「えっ、わたしに!?」

平田少年は、今度は美希を自分のそばに呼ぶと、こう指示した。

「腕を上げて、手のひらを頭のてっぺんにくっつけて」

「えっ、こう?」

「ボクが催眠術をかけると、青井さんは、プロレスラーも真っ青な怪力人間になる。どんなに力の強い相手でも、青井さんの手を頭からはずすことができなくなるんだ。それじゃ、催眠術をかけるよ。3、2、1……ハイ! 青井さんは、そのままギュッと、手が離れないように頭を押さえてて」

美希は、指示どおりに、手のひらを自分の頭にくっつける。

平田少年は、次に、クラスでいちばん力の強い男子に、美希の腕を引っ張って頭から手をはずさせるように言った。

力自慢の男子は、「チョロイもんさ」と笑い、美希の腕を引っ張る。ところが、美希の手は、ピタリと頭にくっついたまま、離れなかった。

「えっ? くそっ、おかしいなあ。どうして離れないんだ!?」

顔を真っ赤にして奮闘する力自慢男子を、美希は、不思議そうに見る。

「ウソ、わたし、そんなに力入れてないわよ？　……ってことはアレ？　わたし、本当に怪力人間になっちゃったの⁉」

（美希ちゃんが言うくらいだから、平田くんは、ホントに催眠術が使えるんだ……！）

健太は、息をのむ。

「そう、これが催眠術さ！」

平田少年は、ふたたび得意げになり、これ以上ないくらい、胸をそり返らせた。

「どうだい？　これでわかっただろう？　ボクの催眠術がホンモノってことが！」

「そうね。だとしたら、すごいスクープだわ。……真実くん、どう思う？」

美希は、真実に、期待のまなざしを向ける。しかし、真実は、またしても首を振った。

「残念ながら、これもトリックさ。人間の腕は、ひじが直角に曲がっているとき、いちばん強い力が出るんだ。だから、力が強い相手に腕を引っ張られても、美希さんの手は頭から離れなかった。……それだけさ」

「なんだ、そういうこと」

美希は、肩を落とす。

（今度こそ、本物だと思ったのに……）

健太は、心の中でつぶやいた。

「やっぱりインチキだったのか」

「ま、そんなことだろうと思ったよ」

「おい、校庭でサッカーしようぜ」

その場に集まっていた児童たちは、興味を失い、教室を出ていこうとした。

「みんな、待ってくれ！　もっとスゴイ、とっておきの催眠術があるんだ！」

平田少年は、あわててみんなを呼び止める。そして、健太を指さした。

「宮下健太くん、実験台は、キミだ！」

「えっ、ぼく!?」

「これからキミに、味覚を失う催眠術をかける！　催眠術にかかると、キミは食べ物の味がわからなくなるんだ！」

「えっ、そんな……味がわからなくなっちゃうなんて、いやだよお！」

「だいじょうぶ。あとでちゃんと催眠術をといてあげるから」

「ホント？　それならいいけど……」

（実験で確かめることがだいじだって、真実くんは、いつも言ってるしね）

健太は、こわごわと、平田少年のそばにやってくる。

平田少年は、健太に、1枚のティッシュを渡した。

「まずは、そのティッシュで舌をきれいにふいてくれたまえ。給食の麻婆豆腐の味が残っていたりすると、催眠術がかかりにくくなるからね」

健太は、言われたとおり、自分の舌をティッシュでふく。

「それじゃ、行くよ。3、2、1……ハイ！」

平田少年は、健太の舌の上に、ひとかけらのチョコレートをのせる。そして、健太に尋ねた。

「どうだい？　チョコの味、わかるかい？」

（えっ、チョコ!?　あまい味、全然しないけど……）

健太は驚き、味がしないことを伝えるために、首を横に振った。

平田少年は、満足そうにうなずく。

「そう。宮下くん、キミは今、催眠術をかけられて、一時的に味覚をなくしたんだ。でも、催眠術をとけば、もとに戻る。じゃあ、とくよ。3、2、1……ハイ！　どう？　今度はチョコの味、するだろ？」

「うん、あまい！　さっきは石か何かみたいに思えたけど、これは確かに本物のチョコだ！」

健太は、チョコレートを味わいながら答える。

その場にいた一同は、「すごい!!」と、歓声をあげた。

「おい、やっぱ平田は、催眠術が使えるんじゃねぇか？」

そんなささやきも聞こえはじめ、平田少年は「へへん！」と、勝ちほこった顔になる。

しかし、真実は、またしても見破った。

「舌で味を感じるには、食べ物が水分に溶けている必要があるんだ。だ液をティッシュでふいた直後のかわいている舌の上では、チョコレートがだ液に溶けていないから、味がわからなくなる。これも催眠術ではなく、科学を利用したトリックさ」

何をやっても、真実には、催眠術がニセモノであることを見抜かれてしまう。

平田少年は、くやしさに震え、「見てろよ」と、つぶやいた。


放課後。健太は、サッカーをしようと、校庭に出た。そのとき……。

「宮下健太くん」

何者かに、呼び止められる。振り返ると、そこに立っていたのは、平田少年だった。

あいかわらずマント姿で、仮面をつけている。

「謎野くんが何と言おうと、ボクの催眠術はホンモノだよ。人間だけじゃなくて、ほかの生き物にも催眠術をかけられるんだ」

「えっ、ほかの生き物にも!?」

「そうさ。今からボクは、キミの前で、それを証明してみせる！」

夕日を背に立っていた平田少年は、逆光の中で、ニヤリと笑う。

このあと、目の前で繰り広げられた恐ろしい光景に、健太は、ぼう然とするのだった。

健太は、真っ青になって、6年2組の教室に戻ってきた。本を読んでいる真実の前に来ると、ゴクリとつばをのむ。そして、意を決したように、こう切り出したのだった。

「真実くん……ぼくは、きみのことが嫌いになった。今日限りで友達をやめる……」

「……え？」

真実は顔を上げたが、健太は、その顔をまともに見ることができず、目をそらした。

「……さようなら……」

それだけ言うと、健太はくるりと背を向け、真実のもとを去っていこうとした。

「待ってくれ」

真実は、すぐさま健太を呼び止めた。健太が本心を言っているのでないことは、科学の知識を駆使しなくても、明らかだった。

「いったい何があったんだい？　それと……きみがだいじそうにかかえているその箱は何？」

真実は、健太が手にしている、小さな箱を指さす。

「え？　いや、これは……」

健太は、しばし迷っていたが、やがて決意したように、箱のふたを開けた。

箱の中に入っていたのは、1匹のカエルだった。カエルは生きていたが、腹を見せ、ひっくり返ったまま、ピクリとも動かない。

「平田くんは、ぼくの目の前で、このカエルに催眠術をかけて眠らせたんだ。ぼくが真実くんの友達をやめなければ、真実くんのこともこんなふうに眠らせてやるって。『眠れる森の美女』のように、二度と目を覚ますことがないよう、強力な催眠術をかけてやるって言ったんだ」

健太は、その肩を小刻みに震わせている。今にも泣きだしそうなようすだった。

そんな健太を見て、真実は、溜め息をつきながらも、ほほえみをもらす。

「何度も言うように、彼の催眠術はニセモノなんだ」

「でも、元気だったカエルを、『3、2、1……ハイ！』って、あっという間に眠らせちゃったんだよ？」

「生き物の中には、身に危険がせまり、いよいよ助からないとわかると、ある特異な反応を示すものもいる。何かわかるかい？」

真実は、健太に問いかけた。その答えに、ヒントがあるという。

平田少年がカエルを眠らせた真相とは、いったい何なのだろう？

「健太くん、昆虫好きなきみなら、『クワガタムシの擬死』を知ってるよね」

「うん。クワガタムシが鳥なんかに襲われそうになったとき、動きを止めて、死んだふりをするやつだよね？　……え？　もしかして、このカエルも、死んだふり？」

健太が答えると、真実はうなずく。そして、健太に尋ねた。

「カエルを眠らせたとき、平田くんは、カエルに何かしなかったかい？」

（そういえば……）

健太は、そのときの光景を思い出した。

「平田くんは、カエルをひっくり返して、おなかをなでていたような気がする」

「ほとんどのカエルはおなかを数秒間、やさしくなでられると、深い昏睡状態になるんだ。意識して死んだふりをするのではなく、本当に仮死状態になってしまうのさ。そして、この状態は、数分から1時間、続くこともある。捕食者が死んだ獲物に手を出さないことが多いことから、これは一種の防衛反応といわれている」

「じゃあ、このカエルは、目を覚ますの？」

「もちろんさ。……いいかい？　見ててごらん」

真実は、死んだようになっているカエルの近くで、パン！と手をたたく。

すると、カエルは起き上がり、ぴょんぴょんと元気に跳ね回りはじめた。

「よかった～。カエルくん、二度と目を覚まさないんじゃないかと思ったよ」

健太は、ホッとした表情でほほえむ。そして、あらためて真実を見た。

「さっきは、ひどいこと言って、ごめんね。真実くんが永遠に眠ったままになっちゃったらどうしようって、ぼくはただそれだけで頭がいっぱいで……」

「眠ったままになんてなるわけないさ。催眠術は魔法じゃない。人を永遠に眠らせることなんて不可能なんだ」

翌日。事情を知った美希は、平田少年を真実と健太の前に引っ張ってきた。

「さ、ほら、ちゃんと謝りなさいよ」

美希に強く促されて、平田少年は、2人に、「……ごめん」と、頭を下げる。

「べつにいいよ。それよりさ、なんで催眠術師のふりなんかしたの？」

健太が問いかけると、平田少年は言った。

「とにかく、目立ちたかったんだ。ほら、ボクって、顔も学力も中くらいだし、スポーツもそこそこだろ？」

「ミスター平均点！　ぼくといっしょだ！」

健太はうれしそうに言ったが、平田少年は、首を振る。

「いっしょじゃないよ。宮下くん、キミは、名探偵・謎野くんのワトソン役として、今や学校中で知らない者はいないくらいの有名人だ」

「え、ワトソンって、あのシャーロック・ホームズの助手の？　ぼくって、有名人だっ

たの!?」

健太は驚く。健太には、その自覚がまるでなかったのだ。

そんな健太を、平田少年は、ねたましそうに見る。

「宮下くん、キミはズルいよ。謎野くんの友達というだけで、みんなに注目されているんだから……。ボクなんか、必死で催眠術師のふりをしたのに、謎野くんには、そのトリックをぜんぶ見破られちゃうし……」

(……そうか。それで平田くんは、あんなことをしたんだね)

健太は納得する。すると、真実がほほえみながら言った。

「平田くん、きみのトリックは、なかなかおもしろかったよ」

「え……ホントに!?」

「うん、まるで本物の催眠術師みたいだった!」

健太も、そう言って、平田少年をなぐさめる。

「平田くんはトークも上手だし、人気者になれる素質、あるんじゃない? ほら、あの超能力少年・蝶野力くんも、真実くんにトリックを見破られたけど、今やマジシャンとして、ラスベガスですごい人気らしいよ」

平田少年は、すっかり舞いあがった。

「自慢じゃないけど、自分を催眠術師に見せる裏ワザなら、いっぱい知ってるんだ。ね、ね、青井さん、今度、学校新聞で、ボクの特集、組んでよ！」

「もう、調子いいんだから！」

美希は、笑いながらも、記事にする気になったようだ。

「でも、そうね。『催眠術師っぽく見える裏ワザ』と、ネタバレした上での紹介なら、ウソついたことにはならないし、けっこうウケるかも……」

数日後。学校新聞に、《きみも催眠術師》という見出しが躍る。

美希が掲載した平田少年の記事を、児童たちはおもしろがり、「催眠術師に見える裏ワザ」の一大ブームが起きた。

「謎野くん、宮下くん、青井さん、ありがとう。これでボクも、学校一の有名人さ！」

平田少年は、そう言って、堂々と、胸をそり返らせるのだった。

数日後――。

「よかった～、平田くんが人気者になれて。それにしても、美希ちゃんの新聞の効果って、すごいなあ」

放課後の教室で、健太がしみじみとつぶやく。

すると、真実は、くすくす笑いながら言った。

「健太くん、きみはいつもそうやって、他人のことで喜んだり、悲しんだり、忙しいんだね」

「えっ、そうかなあ？」

健太には自覚がない。ちょっぴり不安げな顔で真実に尋ねる。

「それって、いけないこと？」

「いや、いけないことじゃない。むしろぼくは、そういうきみを好ましいと思うよ」

「え、ホント!?　真実くんにほめてもらえるなんて、ぼく、うれしい！」

健太は大喜び。真実は、照れて下を向く。

人をほめることには、慣れていなかったのだ。

そこに、タブレットを手にした美希が、かけこんでくる。

「真実くん、健太くん、たいへん、たいへん、事件よ！」

どうやらまた、新しい騒動が起きたようだ。

「えっ、事件!?」

健太は、身を乗り出す。

真実は、やれやれといった表情を浮かべながらも、まんざらでもなさそうに、ほほえんだ。

「催眠術師・平田少年」終わり

「死んだふり」で生き残る！

生き物の中には、危険がせまると、死んだふりをするものがいます。これは、「擬死」と呼ばれる防衛行動です。敵が、生きているエサしか食べなかったり、動くものしか認識できなかったりするときに、有効だといわれています。

擬死をする生き物は、意外にたくさんいます。お話に出てきたカエルなどの両生類やクワガタムシなどの昆虫類だけでなく、鳥類やほ乳類にもいます。

死んだふりをする動物として有名なのが、オポッサム（フクロネズミ）だ。英語で「play opossum」といえば、「死んだふりをする、とぼける、たぬき寝入りをする」という意味で使われている。

タヌキも擬死をする。「たぬき寝入り」という言葉は、そこから来ているそうだよ

名演技をするヘビ

北アメリカに生息するトウブシシバナヘビは、危険がせまると、苦しそうにのたうちまわり、最後には口を開けて動かなくなるという名演技を見せる。ときにはウンチをもらしたり、食べたものを吐いたりまでする徹底ぶりだ。

死んだふりが逆効果!?

クワガタムシは足場が急に揺れると、足を縮めて死んだふりをするので、木からポトリと落ちてしまう。その習性を利用して、木を蹴って揺らし、落ちてきたクワガタムシを採集する方法がある。残念ながら、クワガタムシの擬死は、人間には通用しないようだ。

「クマにあったら死んだふり」は正しいの!?

クマにおそわれそうになったら、死んだふりをしろと言われることがあるが、これはよい方法とはいえない。クマは死んだ動物の肉も食べるからだ。クマと距離があるなら、できるだけクマを刺激しないようにそっとその場を離れよう。もし、近くにいておそわれたら、両手で首のうしろを守って、おなかを守るようにうつぶせになろう。ただし、これは最後の手段。まずは、クマに遭遇しないように、十分な対策をしよう。

号外

花森小新聞
花森小学校
新聞部発行
責任編集：
青井美希

スクープ！「霊の声」モニュメントにもう1つの真相!!

制作者が語る、驚きの新事実とは!?

今回の騒動の原因となったモニュメントを制作したのは、花森町在住の芸術家・安泥目田剛氏。安泥目田氏によると、なんとあのモニュメントは、『太陽』ではなく、『宇宙を飛ぶゾウリムシ』らしい。「みんなに太陽だと思われていてショックだが、太陽もゾウリムシもこの宇宙で生まれた物体という意味では同じなのでよしとする」とのこと。現在、モニュメントは人気スポットとなっていて、多くの人でにぎわっている。

安泥目田氏と『太陽のモニュメント』
（正しくは『宇宙を飛ぶゾウリムシ』）

解明!! 学校霊マサオさんの正体!?

マサオさんは、実は「ふたご」だった！ 当時、別の小学校に通っていた兄のヨシオさんは、弟・マサオさんの死後、その遺志を継ぎ、花森小の花壇に、よく水やりに来ていたという。マサオさんそっくりのヨシオさんを見て、当時の花壇係が幽霊と勘違いしたことから、うわさが広がったようだ。ヨシオさんは、現在、花森商店街で生花店を営んでいる。

思い出の写真を持つヨシオさん

ハイテンション・アガルお化け屋敷をオープン！

あのハイテンション・アガルが、心霊スポットの洋館を使ったお化け屋敷をオープンした。その名もズバリ「死霊の館」！　プロデューサーは、山風村の矢戸田継男氏だ。予想を裏切らない怖さと迫力だが、ゾッとしたのは、館内で風船で遊ぶ小さな女の子を見たという目撃談が相次いだこと。前出の両氏に確かめたところ、「そのような女の子はキャストにいない」という。

「死霊の館」と矢戸田氏

独自　人体模型パーツ、見つかる

行方不明になっていた人体模型のパーツが、大前先生の白衣のポケットから見つかった。ちなみにパーツは脾臓。なぜポケットに入っていたのか、心当たりはないという。

潜入！レポート　浜田先生の意外な過去

テツさんの家で古いアルバムを発見！　中にはなんと、孫の典夫こと、浜田先生の子ども時代の写真が！　テツさんによると、「典夫は、週末や休みの日は、いつもこの家に泊まっていたよ。勉強ギライで、しょっちゅう0点のテストを宝石箱の中に隠してたね。おまけに、かたづけない、野菜食べない、朝起きないの、ないない坊主でこまったもんさ」とのこと。そんな浜田先生が、なぜ教師を目指したのだろうか？

アルバムからの１枚

平田並男のきみも催眠術師

両手の中指を２つ目の関節で曲げ、ほかの指は伸ばしたまま両手を合わせよう。

3、2、1……ハイ！
ほかの指は離れるけど、薬指は離せなくなったよ！

裏ワザのウラ！

薬指を伸ばすためのすじは、中指と共通。だから、中指が曲がっていると、薬指だけを伸ばすことはできないよ。

編集後記

廃病院の事件のときに聞いたタイの「コムローイ祭り」について調べてみた。大ヒットアニメ映画にも取り上げられた、世界的に有名な祭りだそう。ブッダへの感謝をこめて、3千個ものスカイランタンを夜空に放つ。空一面にランタンが浮かぶ風景は、さぞかしロマンチックにちがいない。いつか行ってみたいなあ。そのときは、大好きなカオマンガイも本場の屋台で味わうぞ！（M・A）

秘

No. 001

謎野真実

年齢　12歳
身長　155cm
誕生日　1月6日
口癖　「科学で解けないナゾはない」
　　　「非科学的だね」
愛読書　ブルバキ『数学原論』

ホームズ学園出身

エリート探偵育成学校・ホームズ学園出身。真実のマントは、ホームズ学園の首席（成績トップの者）のみが、着用を許されているもの。

ホームズ学園の正門

寝るときはアイマスク

修学旅行でも、アイマスクとナイトキャップをかぶって就寝。睡眠スタイルには、こだわりがある。

父は科学教師

父・快明は、ホームズ学園の科学教師。母がどんな人なのか、きょうだいがいるのかなどは不明。

マントの下にホルスター

ホルスター型の革製バッグを、マントの下に身につけている。中には、ホームズ学園の探偵七つ道具も収納されている。

捜査のために、変装することも。

Confidential file

著者紹介

佐東みどり
脚本家・作家。アニメ「サザエさん」「ハローキティとあそぼう！まなぼう！」などを担当。小説に「恐怖コレクター」シリーズ、「謎新聞ミライタイムズ」シリーズ、「怪狩り」シリーズなどがある。
（執筆：ファイル1）

石川北二
監督・脚本家。脚本家として、映画「かずら」（共同脚本）、映画「燐寸少女 マッチショウジョ」などを担当。監督としての代表作に、映画「ラブ★コン」などがある。
（執筆：ファイル4、6）

木滝りま
脚本家・作家。脚本家として、ドラマ「念力家族」「ほんとにあった怖い話」、アニメ「スイートプリキュア♪」など。代表作に、『世にも奇妙な物語 ドラマノベライズ 恐怖のはじまり編』がある。
（執筆：ファイル3、5、7）

田中智章
監督・脚本家。脚本家として、アニメ「ドラえもん」、映画「シャニダールの花」などを担当。監督としての代表作に、映画「放課後ノート」「花になる」などがある。
（執筆：ファイル2）

挿画

木々（KIKI）
マンガ家・イラストレーター。代表作に、「バリエ ガーデン」シリーズ、「ラヴ ミー テンダー」シリーズなどがある。
公式サイト：http://www.kikihouse.com/

ブックデザイン
アートディレクション
辻中浩一＋**吉田帆波**（ウフ）

※この本のファイル1〜6は朝日小学生新聞（2021年1月〜2月）が初出。ファイル7は書き下ろしです。

科学で解けないナゾはない

科学探偵 謎野真実シリーズ

01 科学探偵 vs. 学校の七不思議

02 科学探偵 vs. 呪いの修学旅行

03 科学探偵 vs. 魔界の都市伝説

04 科学探偵 vs. 闇のホームズ学園

05 科学探偵 vs. 消滅した島

ＩＱ 200の天才探偵・謎野真実、登場！

行方不明になった父の手がかりを求めて、花森小学校に転校してきた謎野真実。クラスメートの宮下健太や新聞部部長の青井美希とともにさまざまな謎を解くうち、やがて、父の失踪にまつわる恐ろしい秘密が明らかに —— 。

科学探偵 vs. 妖魔の村

謎解きを依頼されて出向いた先は、呪われた村だった。次々現れる妖怪の正体を、真実は科学で解明できるのか !?

科学探偵 vs. 超能力少年

最強のライバル、あらわる！ 念力、千里眼、壁抜け、透視、念写、空中浮遊……。真実と、超能力少年との対決！

花森町が、ＡＩに支配された！ ＡＩをあやつる黒幕とは？ 真実は、全知全能のＡＩに勝ち、人類を救えるか !?

科学探偵 vs. 暴走するＡＩ ［前編］［後編］

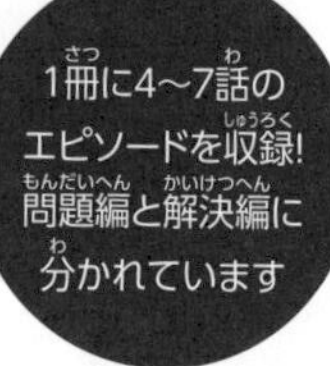

スピンオフ 第2弾
2021年8月
発売予定!
科学探偵 怪奇事件ファイル
襲来!
宇宙人の謎
伝説のドッペルゲンガーが現れた!?
体育館に浮かぶ生首の恐怖!
学校に宇宙人が襲来……!?
街で、学校で、次々起こる
怪奇事件の真相に迫る、
科学ナゾ解き短編集!
5分間の
ミステリー!
おたより、イラスト、大募集中!
公式サイトも見てね!
朝日新聞出版 検索

監修　金子丈夫（筑波大学附属中学校元副校長）
編集デスク　福井洋平、大宮耕一
編集　河西久実
校閲　宅美公美子、野口高峰（朝日新聞総合サービス）

本文図版　渡辺みやこ
コラム図版　佐藤まなか
本文写真　iStock、朝日新聞社
ブックデザイン/アートディレクション　辻中浩一＋吉田帆波（ウフ）

おもな参考文献
『新編 新しい理科』3〜6（東京書籍）／『キッズペディア科学館』日本科学未来館、筑波大学附属小学校理科部監修（小学館）／『週刊かがくる 改訂版』1〜50号（朝日新聞出版）／『週刊かがくるプラス 改訂版』1〜50号（朝日新聞出版）／「ののちゃんのDO科学」朝日新聞社（https://www.asahi.com/shimbun/nie/tamate/）

科学探偵（かがくたんてい） 謎野真実（なぞのしんじつ）シリーズ
科学探偵（かがくたんてい） 怪奇事件（かいきじけん）ファイル 廃病院（はいびょういん）に舞（ま）う霊魂（れいこん）

2021年5月30日　第1刷発行

著　者　作：佐東みどり　石川北二　木滝りま　田中智章　　絵：木々
発行者　橋田真琴
発行所　朝日新聞出版
〒104-8011
東京都中央区築地5-3-2
編集　生活・文化編集部
電話　03-5541-8833（編集）
03-5540-7793（販売）

印刷所・製本所　大日本印刷株式会社
ISBN978-4-02-331949-3
定価はカバーに表示してあります